MORE RAPID FRENCH

BOOK I

By W. F. H. Whitmarsh

A FIRST FRENCH BOOK
A SECOND FRENCH BOOK
A THIRD FRENCH BOOK
A FOURTH FRENCH BOOK
PHONETIC INTRODUCTION TO "A FIRST FRENCH BOOK"
A FRENCH WORD LIST
A FIRST FRENCH READER
COMPLETE FRENCH COURSE FOR FIRST EXAMINATIONS
ESSENTIAL FRENCH VOCABULARY
LECTURES POUR LA JEUNESSE
POEMS OF FRANCE
SIMPLER FRENCH COURSE FOR FIRST EXAMINATIONS
COURS SUPÉRIEUR
A NEW SIMPLER FRENCH COURSE
MORE RAPID FRENCH I, II, III
MODERN CERTIFICATE FRENCH

By W. F. H. Whitmarsh and C. D. Jukes

ADVANCED FRENCH COURSE

L.P. Records

SELECTIONS FROM A FIRST, SECOND, AND THIRD
FRENCH BOOK ON A SET OF 3 L.P. RECORDS

MORE RAPID FRENCH

FRENCH

BOOK I

W. F. H. WHITMARSH M.A.

LICENCIÉ ÈS LETTRES

Illustrated by

DAVID KNIGHT

1724

LONGMANS

LONGMANS, GREEN AND CO LTD
48 Grosvenor Street, London W.1.

*Associated companies, branches and representatives
throughout the world*

© *W. H. F. Whitmarsh 1962*

First published 1962
Second impression 1962
Third impression 1964
Fourth impression 1965
Fifth impression 1966
Sixth impression 1968

Printed and bound in Great Britain by
Hazell Watson and Viney Ltd
Aylesbury, Bucks

FOREWORD

Our existing series (*A First French Book*, etc.) has had a considerable vogue; nevertheless it has been subject to certain criticisms. Many teachers find that while it suits slower forms it is not rapid enough for more talented classes which are capable of forging ahead at a brisker pace. Almost everywhere the multiplicity of subjects taken at "O" Level by good forms makes it imperative to streamline the work and drive directly to the goal. Coupled with this is the widespread feeling that the longer things are delayed the harder they are to learn, and that it pays to get the essential structure of the language surveyed fairly rapidly. With these ideas in mind we have compressed into the present volume most of the grammar covered in the old *First* and *Second* books. Two further volumes will take the pupil to the end of the year preceding the "O" Level Examination.

The present book opens with a Preliminary Section largely devoted to French pronunciation. It is very necessary to begin with some systematic sound-drill. If the pupils learn their pronunciation in a haphazard manner, their accent suffers and their faulty sounds never get eradicated. But sound-drill is not an activity which the teacher can very well keep up for a whole lesson. To ease this we admix some simple oral work on Direct Method lines, which will provide relief from intensive phonetic practice and give the pupils a sense of action and progress. Also this concords with the belief, widely held, that the first introduction to a modern language should be exclusively oral. In this Section we make use of a modified phonetic system which does not involve a second alphabet.

The vocabulary of the main book comprises some 650 words carefully selected from lists made as a result of experience in the classroom and in France. Also, for this purpose, we consulted the French Ministry's list in *Le Français Élémentaire*. Practically the whole of the vocabulary of this book lies within that range.

The reading matter is largely conversational, though it contains a sufficient element of narrative. The earlier readings may lack flow at times, but that is inevitable with matter composed of such slight elements.

As regards grammar, we have dealt with the Present, the Immediate Future (*aller* + infinitive) and the Perfect tenses of the three main groups of verbs and of a number of irregular verbs. The accusative and dative pronouns have been dealt with; the disjunctive pronoun is introduced late in the book. The grammar is stated clearly in English and is illustrated by simple examples.

The exercises are abundant. Many are very simple and may be disposed of orally in class. We try to make every example a reasonable French expression which might be heard any day in France. The amount of English to French translation is slight and is principally used to verify and check the points learnt in the Lesson. A few little compositions are suggested. They are usually based on the story or on a kindred situation, so that the pupils may select from the actual text most of the things they want to say.

W. F. H. W.

CONTENTS

PRELIMINARY SECTION

CONTENTS

CONTENTS

CONTENTS

PRELIMINARY SECTION

TABLE OF SOUNDS

The six Lessons of this Section consist very largely of an introduction to French pronunciation. The following list of vowel sounds shows the phonetic system employed.

SOUND	EXAMPLES
i	ici, pipe, difficile
é	été, café, répété
è	mèrc, sept, merci '
a	madame, camarade, cinéma
â	pas, bas, âne
o	joli, porte, notre
ô	aussi, chaud, nouveau
ou	nous, journal, toujours
u	rue, sucre, minute
eu	deux, cheveux, délicieux
Open eu	neuf, leur, beurre
Mute e	me, le, que
an	dans, vent, pendant
on	mon, vont, maison
in	fin, pain, voisin
un	un, brun, parfum

For consonants the normal letters are used.

LESSON A

Pronunciation of the front vowels: **i, é, è, a.**

[i] As in *keen, lean, feet.*

Position: Teeth close together; lips drawn well back; tip of tongue touching lower teeth; tongue arched up at the back.

Words:
> il, ici, fini, ville, dix, difficile, dites;
> ni, oui, lit, cri, mari, Paris;
> île, dîner; stylo, type.

[é] Somewhat like the vowel in *day, gate,* but the French sound is a single sound, unlike the English vowel, which tends to glide from one sound into another: *ay-ee.*

Position: Teeth almost closed; lips a little more apart and tongue slightly lower than for **[i]**; muscles tense.

Words:
> les, des, mes, tes, ses;
> été, bébé, café, répété, préféré;
> donner, parler, fermer, préparer, frapper;
> nez, donnez, parlez, fermez, frappez.

[è] Very much like the "e" in *ten, men.*

Position: Mouth half open; teeth apart; tongue lower than for **[é]**; lips drawn back a little more tightly than for the "e" in *men.*

Words:
> elle, belle, nouvelle, très, après, saison;
> sept, lettre, avec, ferme, reste, merci.

2

Examples of the lengthened [è]:
mère, père, frère, élève, règle, crème;
treize, scize, Seine, neige, chaise;
être, fenêtre, maître, bête, semaine.

[a] A somewhat flatter sound than the vowel of *cat, hat*.
Between the "a" of *cat* and the "a" of *car*.
Position: Mouth well open; tongue low and flat, tip
touching the lower teeth; muscles easy.

Words:
animal, adresse, avec, ami;
dame, madame, mari, papa, lac, sac;
salle, balle, mal, malade, vache, quatre;
chat, soldat, cinéma.

Lengthened:
par, car, gare, table, garage.

In French, **ch** is pronounced like the English "sh".

Words:
chat, chapeau, chaise, chocolat, cheval;
chercher, marcher, coucher, cacher, cochon;
poche, bouche, vache.

CONVERSATION

NOMS DE GARÇONS		NOMS DE FILLES	
André	Jacques	Claire	Madeleine
Charles	Jean	Denise	Marie
Claude	Louis	Hélène	Monique
Émile	Maurice	Jacqueline	Renée
François	Paul	Jeanne	Thérèse
Henri	Pierre	Louise	Yvonne

— Bonjour, monsieur.
— Bonjour, Jacques.

— Bonjour, madame
(mademoiselle).
— Bonjour, Louise.

MASCULIN

un cahier   un crayon   un livre   un stylo   un pupitre

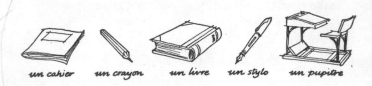

un cahier   un crayon   un livre   un stylo   un pupitre

FÉMININ

une chaise   une table   une porte   une fenêtre   une règle

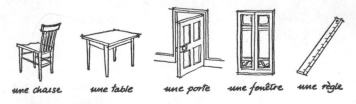

une chaise   une table   une porte   une fenêtre   une règle

Other words:
   voici, *here is* or *here are*
   montrez ! *show! point to!*
   à, *to*
   et, *and*

4

PROFESSEUR: Voici un cahier (un crayon, un livre, un stylo, un pupitre). . . . Pierre, montrez un cahier!

PIERRE: Voici un cahier, monsieur. etc.

PROFESSEUR: Voici une chaise (une table, une porte, une fenêtre, une règle). . . . Montrez une chaise, Paul!

PAUL: Voici une chaise, monsieur. etc.

PROFESSEUR: Louis, montrez un livre à Maurice!

LOUIS: Voici un livre, Maurice. etc.

PROFESSEUR: Émile, montrez un crayon et un stylo!

ÉMILE: Voici un crayon et un stylo, monsieur. etc.

PROFESSEUR: André, montrez un pupitre et une règle!

ANDRÉ: Voici un pupitre et une règle, monsieur.
etc.

1	2	3	4	5
un, une	deux	trois	quatre	cinq

6	7	8	9	10
six	sept	huit	neuf	dix

PROFESSEUR: Au revoir, mes enfants.

CLASSE: Au revoir, monsieur.

EXERCICES

I. Put **un** or **une** before the following nouns:
— table, — pupitre, — livre, — porte, — cahier, — chaise, — fenêtre, — stylo, — crayon, — règle.

II. Say these numbers in French:
3, 7, 9, 2, 5, 1, 10, 8, 4, 6.
Say the answers in French:
2+3; 6+4; 4+2; 5+3; 3+4; 7+2; 8−5; 9−7.

LESSON B

Pronunciation of the back vowels: **â, o, ô, ou**.

[â] Rather like the longer, flatter "a" sound in *calm, far, father*.

Position: Mouth fairly wide open; lips rounded a little; tongue somewhat drawn back and raised.

Words:

    pas, bas, tas, gâteau, château.

Lengthened:

    passe, classe, tasse, pâle, âne, âge, sable.

[o] The nearest English vowel is the "o" sound in words like *for, nor*, but the French sound is sharper and more closed.

Position: Mouth half open, with lips rounded and forward; tip of the tongue behind the base of the lower teeth.

Words:

    comme, pomme, homme, bonne, robe, école;
    joli, poli, porte, poste, possible, colline;
    votre, notre, forme, sorte, ordre;
    sonner, porter, chocolat, téléphone.

Lengthened:

    or, alors, fort, nord, port, bord, mort.

[ô] The full, round "o" sound. A single sound in French, not like the English "o" which begins with one sound and glides into another, as in *cocoa* (*co-oo-co-oo*).

Position: Round the lips, push them forward. See that the small opening fits round the end of a pencil.

6

Words:

eau, aussi, oser, hôtel, autre;
nos, vos, dos, chaud, mot, beau;
poser, causer, sauver;
tableau, nouveau, couteau, chapeau, morceau.

Lengthened:

chose, rose, cause, côté, gauche, pauvre.

[ou] Like the "oo" sound in *soon, moon*. A single sound
in French, not like the composite sound "oo" in English,
obtained by changing the lip position as the sound is
pronounced.

Position: Lips fully rounded and pushed well forward,
leaving only a very small opening. Lips kept set in this
position while the vowel is pronounced.

Words:

nous, vous, sous, tout, cou, bout, trou;
poule, route, bouche, boucher, trouver;
mouchoir, soulier, journal, couvert, boutique.

Lengthened:

pour, jour, cour, tour, toujours, douze, amour.

Pronunciation of **j**, **g**, **c**.

[j] Words: je, jour, journal, toujours, joli, jardin.

[g] As in English, "g" is soft before "e" and "i", hard
before "a", "o", "u".

gare, garde, gomme, guide;
âge, cage, image, village, collège;
garage, gorge, gigot.

[c] is soft before "e" and "i", hard before "a", "o",
"u".

cacher, cadeau; cou, côté; culotte, cultiver;
ce, cette, cerise; ici, cinéma.

When "c" is required to be pronounced soft before "a", "o" or "u", it is marked with a cedilla: ç. Words: français, garçon, leçon, François.

CONVERSATION

un garçon	un bras	un doigt	un pied
une fille	une tête	une main	une bouche

un garçon   un bras   un doigt   un pied

une fille   une tête   une main   une bouche

Other words:

Comptez ! *Count!* Voilà, *there is* or *there are.*
Touchez ! *Touch!* S'il vous plaît, *(if you) please.*
Donnez ! *Give!* Merci, *thank you.*

PROFESSEUR : Bonjour, mes enfants.
CLASSE : Bonjour, monsieur.

PROFESSEUR : Claude, montrez un cahier !
CLAUDE : Voici un cahier, monsieur.   etc.

PROFESSEUR : Pierre, montrez une porte !
PIERRE : Voilà une porte, monsieur.

PROFESSEUR: Montrez un pupitre (une chaise, une table, une fenêtre, etc.).... Montrez un garçon (un pied, un bras, un doigt). Montrez une tête (une main, une bouche).

PROFESSEUR: Henri, montrez six garçons!
HENRI: Un, deux, trois, quatre, cinq, six. Voilà six garçons, monsieur.

PROFESSEUR: André, touchez trois têtes!
ANDRÉ: Une tête, deux, trois. Voilà trois têtes, monsieur.
PROFESSEUR: Jean, touchez quatre bras!
JEAN: Un, deux, trois, quatre. Voilà quatre bras, monsieur.
PROFESSEUR: Montrez deux mains.... Comptez huit doigts.... Montrez six pieds.... Touchez neuf pupitres.... Comptez dix livres.... Touchez deux bouches....
PROFESSEUR: Charles, donnez un crayon à François, s'il vous plaît.
CHARLES: Voici un crayon, François.
FRANÇOIS: Merci, Charles. etc.

PROFESSEUR: Au revoir, mes enfants.
CLASSE: Au revoir, monsieur.

EXERCICES

I. Put **un** or **une** before the following nouns:
— chaise, — crayon, — porte, — livre, — stylo, — règle, — cahier, — table, — doigt, — bouche, — bras, — tête.

II. Complete with **un** or **une**:
   Voici — pupitre et voilà — fenêtre.

LESSON B

Voici — garçon et voilà — fille.
Voici — main et voilà — pied.

III. Write in full:

2 têtes; 10 doigts; 8 cahiers; 3 fenêtres; 7 livres;
4 chaises; 6 crayons; 9 enfants.

LESSON C

Pronunciation of [u], as in **du**, **rue**.

This is a sound quite unlike any English vowel. It is a vowel which requires careful pronunciation and a great deal of practice.

Position: Push the lips well forward and rounded, as when you say [ou], as in **vous**, **sous**. With the lips fixed in this position, try to pronounce the vowel [i], as in **ici**. The lip position makes it impossible to say [i], but instead you get this new sound.

Words:
du, bu, nu, su, vu, tu, plu, rue;
une, usé, usine, utile;
plus, sud, sucre, juste, plume, jupe, fume;
costume, pupitre, légume, bureau, superbe;
Suzanne, amuser, autobus, occupé, minute.

Lengthened:
mur, sur, dur, voiture, lecture, figure, confiture.

Pronunciation of [ui], as in **huit**.

Before [i], the [u] sound is shorter and lighter.

Position: Push the lips well forward and rounded. Pronounce [u], then, without making any break in the sound, draw the lips back to the [i] position; by the mere movement of the lips you will produce [ui].

Words:
suis, puis, pluie, nuit, bruit, huit, suite;
aujourd'hui, cuisine, produit, depuis.

Pronunciation of "oi" and "gn".

The combination "oi" is pronounced as "wa":

moi, toi, trois, froid, toit, voix;

voici, voilà, voiture, poisson, oiseau;

pourquoi, mademoiselle.

Lengthened before "r":

voir, boire, noir, poire, avoir, devoir, mouchoir.

The combination "gn" is pronounced as though it were "ny", as in *canyon*, or like the sound we get in *onion, companion.*

Words:

signe, ligne, vigne; campagne, montagne, champagne;

Boulogne; agneau, compagnon, Avignon.

CONVERSATION

MASCULIN		FÉMININ	
un bras	le bras	une bouche	la bouche
un cahier	le cahier	une chaise	la chaise
un crayon	le crayon	une fenêtre	la fenêtre
un doigt	le doigt	une fille	la fille
un garçon	le garçon	une main	la main
un livre	le livre	une porte	la porte
un pied	le pied	une règle	la règle
un pupitre	le pupitre	une table	la table
un stylo	le stylo	une tête	la tête

le plafond
le mur
le plancher

le tableau noir

la montre   *la pendule*

Other words and expressions:
    Qu'est-ce que c'est? *What is it* (or *this*)*?*
    C'est. *It is.*
    Est-ce? *Is it?*
    Ce n'est pas. *It is not.*
    Oui. *Yes.*
    Non. *No.*
    Regardez! *Look!*

PROFESSEUR: Bonjour, mes enfants.
CLASSE: Bonjour, monsieur.

PROFESSEUR: Regardez, mes enfants, voici un livre.
  C'est un livre. Qu'est-ce que c'est, Jacques?
JACQUES: C'est un livre, monsieur. etc.

PROFESSEUR: Paul, montrez la pendule!
PAUL: Voilà la pendule, monsieur.
PROFESSEUR: Qu'est-ce que c'est?
PAUL: C'est la pendule, monsieur. etc.

PROFESSEUR: Regardez, Louis, est-ce un stylo?
LOUIS: Oui, monsieur, c'est un stylo. etc.

PROFESSEUR: Regardez, Maurice, est-ce la porte?
MAURICE: Non, monsieur, c'est le tableau noir. etc.

PROFESSEUR: Regardez, Claude, est-ce le plafond?
CLAUDE: Non, monsieur, ce n'est pas le plafond, c'est
  le plancher. etc.

PROFESSEUR : Regardez, François, est-ce le mur ?

FRANÇOIS : Non, monsieur, ce n'est pas le mur, c'est la fenêtre.   etc.

PROFESSEUR : Émile, un crayon, s'il vous plaît.

ÉMILE : Voici un crayon, monsieur.

PROFESSEUR : Merci, Émile.   Donnez le crayon à Jean.

ÉMILE.   Voici le crayon, Jean.

JEAN : Merci, Émile.

PROFESSEUR : Au revoir, mes enfants.

CLASSE : Au revoir, monsieur.

EXERCICES

I. Put **le** or **la** before the following nouns:
— porte, — mur, — règle, — tête, — crayon, — pupitre, — fille, — garçon, — main, — doigt, — bouche, — pied, — pendule, — tableau noir, — plancher, — stylo, — chaise, — plafond.

II. Questions from one pupil to another:
Question: Est-ce le mur ?
Réponse: Oui, c'est le mur.
    Non, ce n'est pas le mur, c'est le plafond.   etc.
Question: Qu'est-ce que c'est ?
Réponse: C'est la pendule.   etc.

III. Jean (Marie) decides on an object.   Other pupils question him (her).
Est-ce la porte ? — Non, ce n'est pas la porte.
Est-ce la fenêtre ? — Oui, c'est la fenêtre.   etc.

LESSON D

Pronunciation of [eu], as in **deux**.

Position: Lips forward and rounded as for [ô].   With the lips fixed in this position, try to pronounce [é].
Words:
feu, bleu, jeu, peu, deux, yeux, lieu;
cheveux, monsieur, sérieux, délicieux.

Pronunciation of the open [eu] as in **neuf, leur**.

This sound is rather like the vowel in *fur, sir*, but more open.

Position: Mouth half open, jaw well lowered, lips a little rounded; tip of tongue against lower teeth.
Words:
neuf, œuf, bœuf, seul, jeune, meuble, Europe.
Lengthened before "r":
heure, leur, fleur, sœur, beurre, facteur, visiteur, voyageur, bonheur, malheur, chaleur.

Pronunciation of the "mute **e**".

A light, neutral sound, rather like the vowel in *the* (*the man*).
Words:
le, me, te, ce, de, ne, que;
lever, jeter, regarder, revoir, petit, demi.
In ordinary speech the "mute **e**" is often dropped:
au r(e)voir; mad(e)moiselle; f(e)nêtre; d(e)mi.

Pronunciation of **r**.

Position: For the rolled or trilled "r", the tip of the tongue is vibrated.   For the "uvular **r**", press the tip of the tongue against the lower gums and raise the back of the tongue against the roof of the mouth as when you gargle.

Words:

ri, rat, rue, robe, repas, rocher;

gros, gras, franc, français, très, trois, cri;

mari, camarade, garçon, personne, mercredi;

mère, père, frère, sœur, verre, beurre, histoire, soir, hiver, cour, mur, jour;

notre, votre, quatre, lettre, fenêtre, sucre.

CONVERSATION

la poche   le mouchoir

la poche   *le mouchoir*

New words:

mettez! *put!*   devant, *in front of*
où, *where*   sous, *under*
dans, *in, into*   sur, *on*
derrière, *behind*

PROFESSEUR: Bonjour, mes enfants.

CLASSE: Bonjour, monsieur.

PROFESSEUR: Jean, un crayon, s'il vous plaît.

JEAN: Voici un crayon, monsieur.

PROFESSEUR: Merci, Jean.... Qu'est-ce que c'est, Louis?

LOUIS: C'est un crayon, monsieur.

PROFESSEUR: Charles, est-ce un stylo?

CHARLES: Non, monsieur, ce n'est pas un stylo, c'est un crayon.

PROFESSEUR: Regardez, mes enfants. Le crayon est sur le livre. Où est le crayon? Le crayon est sur le livre. etc.

PROFESSEUR: Voici une règle et voici un cahier. Où est la règle? La règle est sous le cahier.... Pierre, où est la règle?

PIERRE: La règle est sous le cahier, monsieur. etc.

PROFESSEUR: Voici un mouchoir et voici une poche. Où est le mouchoir? Le mouchoir est dans la poche. ... Maurice, où est le mouchoir?

MAURICE: Le mouchoir est dans la poche, monsieur. etc.

PROFESSEUR: Regardez, mes enfants. Voilà le tableau noir. Le professeur est devant le tableau noir. ... Claude, où est le professeur?

CLAUDE: Le professeur est devant le tableau noir.

PROFESSEUR: Oui, le professeur est devant le tableau noir.... Où est le tableau noir? Le tableau noir est derrière le professeur.... Émile, où est le tableau noir?

ÉMILE: Le tableau noir est derrière le professeur.

PROFESSEUR: Charles, mettez une main sur la tête. Où est la main? ... Louis, mettez un livre sous le pupitre. Où est le livre? ... Henri, mettez un doigt sur la bouche. Où est le doigt? ... Jacques, mettez une chaise devant le tableau noir. Où est la chaise? ... François, mettez Paul derrière la porte! Où est Paul? ...

EXERCICES

I.   Position of various objects: Où est (le cahier)?   etc.

II.   Orders: Mettez la main dans la poche!   etc.

III. *Exemple:* une poche, la poche.   Do the same with: bras, main, pied, bouche, tête, garçon, fille, mouchoir, montre, pendule, mur, tableau noir.

IV. Comptez de 1 à 10.

LESSON E

The Nasal Vowel [an], as in **dans**, **vent**.

Pronounce [â]. Say it again with the mouth slightly more closed. Now "nasalize" this sound. This is done by lowering the soft palate (the part right at the back of the mouth), and making the sound come through both nose and mouth.

Words:
an, dans, sans, banc, franc, tant, quand;
champ, chambre, anglais, français, boulanger,
devant, marchand, habitant;
dent, vent, temps, gens, client;
enfant, entrer, agent, pendant, moment, comment,
embrasser, emporter.

Lengthened:
Francc, tante, plante, lampe, viande, dimanche;
jambe, chambre; entre, trente, rendre, descendre.

The Nasal Vowel [on].
Nasalize the vowel [ô].

Words:
mon, ton, son, non, sont, rond, long, vont, front,
nom;
content, bonjour, montagne, compartiment;
maison, garçon, poisson, saison, mouton, cochon,
crayon, pantalon, veston.

Lengthened:
onze, oncle, donc, monde, nombre, contre, montre.

19

The Nasal Vowel [in].

Pronounce [è].   Open the mouth a little more and pronounce a very open [è].   Nasalize this open [è].
Words:
fin, vingt, jardin, matin, médecin, magasin;
pain, faim, main, train, demain, prochain;
bien, rien, chien.
Lengthened:
cinq, quinze, linge, mince, simple, timbre.

The Nasal Vowel [un].

Nasalize the open [eu] as pronounced in words like **neuf, œuf.**   Another way is to pronounce the nasal vowel [in], advance and round the lips rather more and still try to pronounce [in].
Words:
un, brun, chacun, aucun, parfum.

CONVERSATION

MASCULIN		FÉMININ	
SINGULIER	PLURIEL	SINGULIER	PLURIEL
le cahier	les cahiers	la chaise	les chaises
le crayon	les crayons	la fenêtre	les fenêtres
le doigt	les doigts	la fille	les filles
le garçon	les garçons	la main	les mains
le livre	les livres	la poche	les poches
l'ami (*friend*)	les amis	l'amie (*friend*)	les amies
l'élève (*pupil*)	les élèves	l'élève (*pupil*)	les élèves
		l'oreille (*ear*)	les oreilles

Je compte, *I count*   Je regarde, *I look at*   qui, *who*
Je donne, *I give*   Je touche, *I touch*   sont, *are*
Je montre, *I show*

PROFESSEUR: Claude, un livre, s'il vous plaît.

CLAUDE: Voici un livre, monsieur.

PROFESSEUR: Merci, Claude. . . . Regardez, mes enfants, voici un livre, c'est le livre de Claude. . . . Pierre, est-ce le livre de Jacques?

PIERRE: Non, monsieur, ce n'est pas le livre de Jacques, c'est le livre de Claude.

PROFESSEUR: Oui, c'est le livre de Claude. Regardez, mes enfants, je donne le livre à Claude. Voici le livre, Claude.

CLAUDE: Merci, monsieur.

PROFESSEUR: Qui est l'ami de François?

UN ÉLÈVE: Maurice est l'ami de François.

PROFESSEUR: Qui sont les amis de Charles?

UN ÉLÈVE: André et Louis sont les amis de Charles.

etc.

PROFESSEUR: Jacques, montrez les fenêtres!

JACQUES: Voilà les fenêtres, monsieur. Je montre les fenêtres.

PROFESSEUR: Louis, touchez la tête de Jean!

LOUIS: Je touche la tête de Jean.

PROFESSEUR: Charles, touchez les oreilles de Maurice!

CHARLES: Je touche les oreilles de Maurice.

PROFESSEUR: Jean, regardez les pieds de François!

JEAN: Je regarde les pieds de François.

PROFESSEUR: Louis, comptez les doigts de Paul!

LOUIS: Je compte les doigts de Paul: un, deux, trois, etc.

PROFESSEUR: Où sont les élèves?

UN ÉLÈVE: Les élèves sont dans la classe, monsieur.

PROFESSEUR: Claude, mettez deux livres sur la table! . . . Où sont les livres?

CLAUDE: Les livres sont sur la table.   etc.

PROFESSEUR: Au revoir, mes enfants.
CLASSE: Au revoir, monsieur.

EXERCICES

I. Replace **un** or **une** by **le**, **la** or **l'**:
un mouchoir, une amie, une pendule, un élève, une tête, un garçon, une main, un doigt, un ami, une oreille, une poche, un mur.

II. Say the plural of:
le livre, la table, la main, le pied, le doigt, **un ami, une oreille, une poche, un mur.**

III. Put into the plural:
Le mouchoir est dans la poche.
Le cahier est sur le livre.
L'élève est derrière le pupitre.
Le professeur est devant la classe.

IV. Put in **à** or **de**:
   1. C'est le pupitre — Charles.   2. Je donne le crayon — Paul.   3. Ce n'est pas le stylo — Pierre.   4. Le professeur donne le livre — Maurice.

LESSON F

The " i " in words like **fermier, première, question.**
Before a sounded vowel " i " is shortened and practically assumes the sound of " y ".

Words:
    panier, papier, premier, dernier, soulier, cahier;
    derrière, première, fermière, barrière;
    direction, intention, question;
    bien, chien, rien;
    serviette, assiette, pied, piano.

Pronunciation of "l".
Pronounced with the tip of the tongue pressed against the upper front teeth. In French the " l " never has that *ull* or *ooll* sound which the " l " has in English words like *bell, call, hole, table*. The French " l " is more like the lighter " l " sound we get in *please, plenty*.

Words:
    le, la, les, lettre, plume, classe, bleu, fleur;
    il, elle, école, ville, poulc, salle;
    table, sable, règle, Grenoble.
In many words the combination "il" or "ille" is pronounced as "y":
    travail, soleil, sommeil, pareil, fauteuil;
    oreille, bouteille, feuille.
In some words the "i" is also pronounced:
    fille, famille, gentille, billet.

CONVERSATION

le canif

la cravate

il est, *he is*   Que fait Pierre? *What does Pierre do?*
elle est, *she is*   Approchez! *Approach! Come here!*
il montre, *he shows*   maintenant, *now*
elle montre, *she shows*   avec, *with*

PROFESSEUR: Claude, approchez! Regardez, mes enfants. Claude est maintenant devant la classe. Où est Claude? Il est devant la classe.... Où est le professeur? Il est devant la classe avec Claude. Où sont Claude et le professeur? Claude et le professeur sont devant la classe. etc.

PROFESSEUR: Jean, approchez! Montrez la pendule, s'il vous plaît.
JEAN: Voilà la pendule, monsieur.
PROFESSEUR: Qui montre la pendule?
UN ÉLÈVE: C'est Jean qui montre la pendule.
PROFESSEUR: Que fait Jean?
UN ÉLÈVE: Il montre la pendule.

PROFESSEUR: Maurice, touchez les mains de Jacques!
MAURICE: Je touche les mains de Jacques.
PROFESSEUR: Que fait Maurice?
UN ÉLÈVE: Il touche les mains de Jacques.

PROFESSEUR: Maintenant, mes enfants, voici une cravate. Qu'est-ce que c'est?

24

UN ÉLÈVE : C'est une cravate, monsieur.

PROFESSEUR : Est-ce la cravate de François ?

UN ÉLÈVE : Non, monsieur, ce n'est pas la cravate de François, c'est la cravate de Louis.

PROFESSEUR : Paul, touchez la cravate de Louis !

PAUL : Je touche la cravate de Louis.

PROFESSEUR : Que fait Paul ?

UN ÉLÈVE : Il touche la cravate de Louis.

PROFESSEUR : Maintenant, mes enfants, voici un canif. . . . Je donne le canif à Pierre. Voici le canif, Pierre.

PIERRE : Merci, monsieur.

PROFESSEUR : Maintenant, Pierre, donnez le canif à Jacques.

PIERRE : Je donne le canif à Jacques. Voici le canif, Jacques.

JACQUES : Merci, Pierre.

PROFESSEUR : Que fait Pierre ?

UN ÉLÈVE : Il donne le canif à Jacques.

PROFESSEUR : Qui donne le canif à Jacques ?

UN ÉLÈVE : C'est Pierre qui donne le canif à Jacques.

EXERCICE

Exemple: Paul, touchez la tête de Charles ! Que fait Paul ? — Il touche la tête de Charles.

1. Maurice, touchez le tableau noir ! 2. Jean, montrez la pendule ! 3. Pierre, donnez la main à Louis ! 4. André, regardez les oreilles de Jacques ! 5. Maurice, touchez la cravate de Paul ! 6. Claude, regardez le professeur !

REVISION OF SOUNDS

i	ici, fini, mari, difficile
é	été, répété, donner, parlez
è	elle, maison, lettre, merci
a	animal, madame, camarade, quatre
â	pas, gâteau, passe, classe, âne
o	joli, porte, votre, chocolat
ô	vos, aussi, morceau, chose
u	une, du, tu, sur, mur
ui	suis, puis, huit, cuisine
oi	voici, voilà, trois, mademoiselle
eu	deux, bleu, monsieur, curieux
Open **eu**	neuf, jeune, facteur, voyageur
Mute **e**	ce, le, que, regarde
an	France, tante, trente, exemple
on	mon, pont, garçon, plafond
in	fin, main, certain, cinq
un	un, brun, chacun, parfum
	un bon vin blanc
ch	chat, chocolat, poche, bouche
j	je, jour, jardin, toujours
g	cage, garage, gorge, gigot
c	ce, cinéma, cacher, côté; français, garçon
gn	signe, ligne, campagne, compagnon
r	ri, rue, français, trois, mère, quatre
l	livre, plume, fleur, table
	fille, famille, travail, oreille

PREMIÈRE LEÇON

GRAMMAR

(a) Gender.   The Definite Article

In French all nouns are masculine or feminine, whether they name persons or things. The equivalent of "the" is **le** before a masculine noun, **la** before a feminine noun, **l'** before any noun beginning with a vowel sound. Before any plural noun, masculine or feminine, the Definite Article (= *the*) is **les.**

MASCULINE		FEMININE	
SINGULAR	PLURAL	SINGULAR	PLURAL
le garçon *the boy*	les garçons *the boys*	la fille *the girl*	les filles *the girls*
l'ami *the friend*	les amis *the friends*	l'amie *the friend*	les amies *the friends*
le livre *the book*	les livres *the books*	la porte *the door*	les portes *the doors*

(b) The Indefinite Article

The equivalent of "a" or "an" is **un** before a masculine noun, **une** before a feminine noun. The plural, meaning "some", is **des.**

MASCULINE		FEMININE	
SINGULAR	PLURAL	SINGULAR	PLURAL
un garçon *a boy*	des garçons *some boys*	une fille *a girl*	des filles *some girls*

un ami	des amis	une amie	des amies
a friend	*some friends*	*a friend*	*some friends*

un livre	des livres	une fenêtre	des fenêtres
a book	*some books*	*a window*	*some windows*

(c) The Present Tense of the Verb **être**, *to be.*

je suis	*I am*	suis-je?	*am I?*
tu es	*you are*	es-tu?	etc.
il est	*he is*	est-il?	
elle est	*she is*	est-elle?	
nous sommes	*we are*	sommes-nous?	
vous êtes	*you are*	êtes-vous?	
ils sont	*they* (m.) *are*	sont-ils?	
elles sont	*they* (f.) *are*	sont-elles?	

Note on the use of **tu**.

Tu means "thou", but whereas "thou" has died out of English conversation, **tu** is still constantly used by French people when they are addressing members of their own family, their close friends and their associates in work. French schoolchildren always address one another as *tu*, but they say *vous* to their teachers and to all persons with whom they are not on terms of complete familiarity.

(d) **Qui?** asks *who?*

Qui est dans la cour?   *Who is in the yard (play-ground)?*

Qui est-ce?—C'est Jean.   *Who is it?—It is John.*

Voici, *here is, here are:*
Voici le livre!   *Here is the book!*
Voici les livres!   *Here are the books!*

Voilà, *there is, there are:*
Voilà une chaise!   *There is a chair!*
Voilà des chaises!   *There are some chairs!*

LECTURE

L'ÉCOLE

Voilà l'école et, devant l'école, voici la cour. Les élèves sont dans la cour.

Voici un garçon. Qui est-ce? C'est Jean Poussin. Jean est un élève. Et voici Louis, un ami de Jean. Louis est aussi un élève. Louis et Jean sont des élèves.

Et maintenant, les jeunes filles. Voici Marie Bonnet. Marie est une élève. Elle est avec une amie, Catherine Vidal. Marie et Catherine sont des élèves.

Voilà aussi, dans la cour, un homme. Qui est-ce? C'est monsieur Charlier, le nouveau professeur.

M. CHARLIER, *à Jean*: Le directeur est ici?
JEAN: Non, monsieur.
M. CHARLIER: Qui êtes-vous?
JEAN: Je suis Jean Poussin, monsieur.

M. CHARLIER : Et l'élève qui est là ?

JEAN : C'est un ami, c'est Louis Brugnon.

M. CHARLIER : Bon ! Vous êtes dans la même classe ?

LOUIS : Oui, monsieur, nous sommes dans la même classe.

Et voici des jeunes filles, Marie Bonnet et Catherine Vidal. Elles sont aussi dans la même classe.

MARIE ET CATHERINE : Bonjour, monsieur.

MARIE : Monsieur, êtes-vous le nouveau professeur ?

M. CHARLIER : Oui, je suis le nouveau professeur.

MARIE ET CATHERINE : Ah ! !

M. CHARLIER : Mais le directeur ? Où est le directeur ?

JEAN : Voici le directeur, monsieur.

M. CHARLIER : Bonjour, monsieur, je suis le nouveau professeur.

LE DIRECTEUR : Oui, oui, oui. Bonjour, monsieur Charlier.

Le directeur et monsieur Charlier sont maintenant dans l'école, dans une salle de classe. Voici les pupitres, où sont des livres et des cahiers. Voilà une table, une chaise, le tableau noir et, sur le mur, la pendule.

LE DIRECTEUR: Et voilà la salle de classe, monsieur Charlier.

M. CHARLIER: Oui ... merci, monsieur.

LE DIRECTEUR: Bon!

VOCABULAIRE

[A number of these words have already occurred in the Preliminary Section. To indicate gender, nouns beginning with a consonant are accompanied by *le* or *la*; nouns beginning with a vowel sound are accompanied by *un* or *une*.]

un ami, *a friend (boy)*
le directeur, *the headmaster*
un élève, *a pupil (boy)*
le garçon, *the boy*
un homme, *a man*
le professeur, *the teacher*
le cahier, *the exercise book*
le livre, *the book*
le mur, *the wall*
le pupitre, *the desk*
le tableau noir, *the black-board*

une amie, *a friend (girl)*
une élève, *a pupil (girl)*
la jeune fille, *the (young) girl*
la chaise, *the chair*
la classe, *the class*
la cour, *the yard, playground*
une école, *a school*
la pendule, *the clock*
la salle de classe, *the class-room*
la table, *the table*

ici, *here*
là, *there*
où, *where*

aussi, *also, too*
maintenant, *now*
mais, *but*

avec, *with*
dans, *in, into*
devant, *in front of*
sur, *on*

bon, *good*
même, *same*
nouveau, *new*

31

EXERCICES

I. *Exemple:* le professeur: les professeurs
un professeur
des professeurs

Deal in the same way with the following:

le garçon	le cahier	la porte
la fille	la chaise	le mur
l'homme	le livre	la pendule
l'ami	la table	le pupitre
l'amie	l'école	la classe

II. Put in the required form of the verb **être**, *to be:*

1. Je — dans la classe. 2. Il — avec un ami. 3. Jean — ici. 4. Ils — avec des amis. 5. Les livres — dans les pupitres. 6. Nous — devant l'école. 7. Tu — dans une salle de classe. 8. Vous — dans la cour. 9. Elle — devant la porte. 10. La pendule — sur le mur. 11. Elles — avec des amies. 12. Les élèves — ici.

III. *Exemple:* Vous êtes là. Êtes-vous là?

Similarly change the following into questions:

1. Je suis devant la classe. 2. Il est ici. 3. Nous sommes dans une école. 4. Ils sont là. 5. Elle est dans la cour. 6. Vous êtes le nouveau professeur. 7. Elles sont devant la porte. 8. Tu es l'ami de Louis. 9. C'est Jean.

IV. Questions:

1. Qui suis-je? 2. Où suis-je? 3. Qui êtes-vous? 4. Où êtes-vous? 5. Où est le tableau noir? 6. Où

sont les livres ?   7. Où sont les cahiers ?   8. Qui est l'ami de Jean ? de Paul ?   etc.

V. *Exemple:* Montrez le tableau noir !   Voilà (Voici) le tableau noir, monsieur.

Montrez un pupitre, la pendule, une chaise, la porte, un mur, les élèves, des livres, la fenêtre, etc.

VI. Translate into French:

1. I am Léon's friend (= the friend of Léon).   2. Is she here ? — Yes, she is here.   3. Are you John's friends (= the friends of John) ? — Yes, we are John's friends. 4. Are they in the playground ? — Yes, they are in the playground.   5. Who is it ? — It is Marie.   6. Who is with the headmaster ?   7. Where is the clock ? — There is the clock !   8. Here is the teacher.   9. Here are the pupils.

LEÇON DEUX

GRAMMAR

(a) **The Present Tense of the Verb avoir,** *to have.*

j'ai	*I have*	ai-je ?
tu as	*you have*	as-tu ?
il a	*he has*	a-t-il ?
elle a	*she has*	a-t-elle ?
nous avons	*we have*	avons-nous ?
vous avez	*you have*	avez-vous ?
ils ont	*they* (m.) *have*	ont-ils ?
elles ont	*they* (f.) *have*	ont-elles ?

Note that *je* becomes *j'* before a vowel, as in *j'ai.*
Note the *t* in *a-t-il, a-t-elle.*

(b) Use of Pronouns

Use **il, elle, ils, elles** whenever possible. When answering a question, do not repeat the noun, use a pronoun:

Où est Jean ? — Il est dans la maison.
Où sont les filles ? — Elles sont dans la cour.

Since all nouns are masculine or feminine, the pronouns **il(s), elle(s)** are used for things as well as for persons:

Où est le livre ? — Il est sur la table.
Où est la chaise ? — Elle est devant la porte.
Où sont les cahiers ? — Ils sont dans le pupitre.

Note that when "they" refers to nouns of mixed gender, the masculine **ils** is used:

Où sont les garçons et les filles? — Ils sont dans la cour.
Où sont le crayon et la règle? — Ils sont sur la table.

(*c*) Useful expressions:

Qui est-ce?—C'est Paul. *Who is it?—It is Paul.*
Qu'est-ce que c'est?—C'est un crayon. *What is it (this)?—It is a pencil.*

The little word **ce** (**c'**) really means *this*.

(*d*) Possession is expressed in French by **de** (=*of*):

John's book. Le livre de Jean.
Claude's friend. L'ami de Claude.

(*e*) **Numbers 1–10**

1	2	3	4	5
un, une	deux	trois	quatre	cinq
6	7	8	9	10
six	sept	huit	neuf	dix

LECTURE

Deux Élèves

LE MONSIEUR: Nous avons ici deux élèves, une jeune fille, Marie Bonnet, et un garçon, Jean Poussin. ... Bonjour, Marie, bonjour, Jean.

MARIE ET JEAN: Bonjour, monsieur.

LE MONSIEUR: Jean, vous avez là, dans la poche, beaucoup de stylos!

JEAN: J'ai trois stylos et quatre crayons, monsieur.

LE MONSIEUR: C'est beaucoup! ... Maintenant, Marie, vous avez beaucoup d'amis ici, à l'école?

MARIE : Oh, j'ai des amis . . . quatre ou cinq filles
. . . et un ou deux garçons. . . .

LE MONSIEUR : Avez-vous des sœurs?

MARIE : Non, monsieur, mais j'ai deux frères, Claude
et Pierre.   Claude est un ami de Jean Poussin.

LE MONSIEUR : Ah bon !   Claude et Pierre sont des
élèves de l'école?

MARIE : Claude est à l'école, mais Pierre est à la
maison avec maman.

LE MONSIEUR : Avez-vous une voiture à la maison?

MARIE : Oui, monsieur, papa et maman ont une
voiture.

LE MONSIEUR : Et vous, vous avez une bicyclette?

MARIE : Oui, monsieur, j'ai une bicyclette, et Claude
a une bicyclette.

LE MONSIEUR : Avez-vous des animaux à la
maison?

MARIE : Oui, monsieur, nous avons un chien et un
chat.

LE MONSIEUR : Et Jean, vous avez des animaux, vous
aussi?

LECTURE

JEAN: J'ai quatre oiseaux et une tortue.

LE MONSIEUR: Les oiseaux sont dans une cage?

JEAN: Dans deux cages, monsieur.

LE MONSIEUR: Et où est la tortue?

JEAN: Elle est ici, monsieur, dans le pupitre.

LE MONSIEUR: Dans le pupitre! Ouvrez le pupitre, Jean, et montrez la tortue!

JEAN: Voici la tortue, monsieur.

LA CLASSE: Qu'est-ce que c'est? Oh, c'est la tortue de Jean Poussin! Ha! ha! ha!

VOCABULAIRE

un animal (*pl.* des animaux), *an animal*
le chat, *the cat*
le chien, *the dog*
le crayon, *the pencil*
le frère, *the brother*
le monsieur, *the gentleman*
un oiseau (*pl.* des oiseaux), *a bird*
papa, *Father, Daddy*
le stylo, *the fountain pen*

la bicyclette, *the bicycle*
la cage, *the cage*
la maison, *the house*
maman, *Mother, Mummy*
la poche, *the pocket*
la sœur, *the sister*
la tortue, *the tortoise*
la voiture, *the car*

beaucoup (de), *much, many, a lot (of)*
montrez! *show!*
ouvrez! *open!*
à, *at or to*
à la maison, *at the house, at home*
ou, *or*

EXERCICES

I. *Exemple:* le frère:

les frères, un frère, des frères.

Do the same with:

la sœur, la maison, l'animal, la voiture, le crayon, la bicyclette, l'oiseau, le stylo, la poche, le chien, la cage, le chat.

II. Put in the required form of **avoir**, *to have:*

1. Nous — un chat. 2. Tu — trois crayons. 3. Vous — une bicyclette. 4. J'— six poches. 5. Il — deux chiens. 6. Marie — beaucoup d'amis. 7. Ils — une voiture. 8. Les élèves — des cahiers.

III. Turn into questions:

1. Il a une tortue. 2. J'ai un stylo. 3. Vous avez des frères. 4. Elle a des sœurs. 5. Ils ont une maison. 6. Nous avons des livres. 7. Tu as des animaux. 8. Elles ont un bon professeur.

IV. Exemple: *Le professeur* est devant la classe.

Il est devant la classe.

Replace the subject by a pronoun in the following:

1. *La jeune fille* est ici. 2. *Papa et maman* sont à la maison. 3. *L'homme* est dans la cour. 4. *Les garçons* sont à l'école. 5. *Les jeunes filles* sont là. 6. *Les oiseaux* sont dans la cage. 7. *Le cahier* est sur la table. 8. *La voiture* est devant la maison. 9. *Les bicyclettes* sont dans la cour. 10. *Le frère et la sœur* sont ici.

V. Use a pronoun in each answer:

Où est le professeur? le livre? le stylo? le crayon? la pendule? la cour? la tortue de Jean Poussin? etc.

Où sont les élèves? les cahiers? les oiseaux de Jean Poussin? etc.

VI. Qu'est-ce que c'est? — C'est un (une)....

VII. Put in **à** or **de**:

1. C'est la bicyclette — Claude. 2. Les garçons sont — l'école. 3. Maman est — la maison. 4. Voilà la voiture — monsieur Charlier. 5. Le monsieur est — la porte. 6. Voici le cahier — Marie.

VIII. Read out in French:

3 fenêtres; 1 voiture; 8 chaises; 4 oiseaux; 7 poches; 6 animaux; 10 élèves; 2 chiens; 9 livres.

IX. Translate into French:

1. Has he a car? 2. The boys have (some) bicycles. 3. Have you a cat? 4. What is it?—It is a tortoise. 5. The brother and (the) sister. 6. The doors and (the) windows. 7. A cat and (a) dog. 8. Some boys and (some) girls. 9. Is he at home (= at the house)?—No, he is at (the) school. 10. We have a lot of friends. 11. Claude's sister; Marie's brother; Pierre's bicycle.

LEÇON TROIS

GRAMMAR

(a) **Est-ce que . . .**

The phrase **est-ce que** (=*is it that*) is used a great deal by the French for framing questions. For instance, instead of saying **avez-vous?** (*have you?*) one may say: **est-ce que vous avez?** Here then are alternative question forms:

Être, *to be*

suis-je?	*or*	est-ce que je suis?	*am I?*
es-tu?	*or*	est-ce que tu es?	*are you?*
est-il (elle)?	*or*	est-ce qu'il (elle) est?	*is he (she)?*
sommes-nous?	*or*	est-ce que nous sommes?	*are we?*
êtes-vous?	*or*	est-ce que vous êtes?	*are you?*
sont-ils (elles)?	*or*	est-ce qu'ils (elles) sont?	*are they?*

Avoir, *to have*

ai-je? *or* est-ce que j'ai? etc.

(b) How to ask a question when the Subject is a noun.

In French we place the noun first and then ask the question about it:

Papa est-il à la maison? *Is Father at home?*
Les enfants sont-ils dans la cour? *Are the children in the yard?*

40

Or we may use **est-ce que**:

> Est-ce que papa est à la maison?
> Est-ce que les enfants sont dans la cour?

(c) Instead of **qui** (*who*), the French often use the longer form **qui est-ce qui**, which really means *who is it who*:

> Qui est là?
> Qui est-ce qui est là? } *Who is there?*
> { Qui a une bicyclette?
> { Qui est-ce qui a une bicyclette?

You may use which you like: **qui** or **qui est-ce qui**.

(d) The Contracted Article

The little word **de** means *of*. A little difficulty arises when we wish to say "of the" before a noun. **De** and **le** are joined together in one word **du**; **de** and **les** are joined to become **des**. Before **la** and **l'**, **de** remains separate:

> le livre du professeur, *the teacher's book*
> les livres des élèves, *the pupils' books*
> la porte de la maison, *the door of the house*
> la chambre de l'enfant, *the child's bedroom*

(e) **Numbers 11–20:**

11	12	13	14	15
onze	douze	treize	quatorze	quinze

16	17	18	19	20
seize	dix-sept	dix-huit	dix-neuf	vingt

LECTURE

LA CLEF DU GARAGE

Où sommes-nous? Nous sommes dans la maison de la famille Bonnet.

Voici la porte de la salle à manger, et voici la porte du salon. . . . Ici, c'est la cuisine.

Et maintenant, les chambres. Voici la chambre des parents; voici les chambres des enfants.

Qui est à la maison? Madame Bonnet et Claude sont ici. Où est madame Bonnet? Elle est dans la cuisine. Qui est-ce qui est dans la salle à manger?

42

C'est Claude qui est dans la salle à manger.

Claude a une bicyclette. Où est la bicyclette du garçon? Elle est dans le garage.

CLAUDE: Maman!

MADAME BONNET: Qu'est-ce que c'est?

CLAUDE: Est-ce que vous avez la clef du garage? La clef est-elle dans la cuisine?

MADAME BONNET: La clef du garage? Non. La clef est sur la porte du garage.

CLAUDE, *après un instant*: Non, maman, la clef est certainement dans la maison.

MADAME BONNET: Elle est peut-être dans la poche de papa, dans la poche du pardessus qui est là.

CLAUDE, *après un instant*: Oui, maman, la clef du garage est dans la poche de papa.

MADAME BONNET: Bon!... Ah! voici Jean!... Bonjour, Jean.

JEAN: Bonjour, madame... (*à Claude*) Bonjour, mon vieux.

CLAUDE: Bonjour, Jean. Est-ce que tu as une bicyclette?

JEAN: Oui, mon vieux.

CLAUDE: Bon!

VOCABULAIRE

un (une) enfant, *a child*

le garage, *the garage*

un instant, *a moment*

le pardessus, *the overcoat*

les parents, *the parents*

le salon, *the lounge, the drawing-room*

la chambre, *the bedroom*

la clef, *the key*

la cuisine, *the kitchen*

la famille, *the family*

la salle à manger, *the dining-room*

certainement, *certainly*

peut-être, *perhaps*

après, *after*

mon vieux, *old chap*

EXERCICES

I. Turn these statements into questions in two ways:

1. J'ai un crayon. 2. Elle est ici. 3. Tu as une bicyclette. 4. Vous êtes là. 5. Ils ont une voiture. 6. Il est dans la chambre. 7. Elle a beaucoup d'amies. 8. Tu es dans la cuisine. 9. Je suis l'ami de Paul. 10. Vous avez la clef. 11. Ils sont derrière le garage. 12. Nous avons le même professeur.

II. Turn these statements into questions in two ways:

1. Maman est dans la cuisine. 2. Claude est à l'école. 3. Les parents ont une voiture. 4. Les jeunes filles sont dans la salle de classe. 5. Les clefs sont dans la poche de Robert. 6. Les oiseaux sont dans une cage. 7. La voiture est dans le garage. 8. Le chat est devant la porte.

III. Express in another way:

1. Qui est là? 2. Qui a la clef? 3. Qui est dans le salon? 4. Qui a un stylo?

IV. *Exemple:* — porte — salon.   La porte du salon.

   Complete in the same way:

     — clef — garage   — chambre — parents
     — porte — école   — murs — salle de classe
     — cahiers — élèves   — table — professeur
     — fenêtre — cuisine   — parents — enfant

V. Read out in French:

12 animaux	18 pupitres	8 chaises
5 oiseaux	6 poches	14 enfants
20 hommes	10 tables	7 filles
3 amis	15 livres	13 cahiers
16 garçons	4 murs	11 fenêtres
2 frères	19 élèves	17 chats

VI. Questions:

1. Où sommes-nous maintenant?   2. Avez-vous un stylo? un crayon? une règle? etc.   3. Le directeur est-il dans l'école?   4. Avez-vous des frères?   5. Est-ce que vous avez des sœurs?   6. Avez-vous beaucoup d'amis?   7. Avez-vous la clef de la maison?   8. Papa a-t-il une voiture?   9. Est-ce que vous avez un garage?   10. Qui est-ce qui a la clef du garage?   11. Qui a une bicyclette?   12. Avez-vous des animaux à la maison?

VII. Translate into French:

1. Have I the key?   2. Is he at home?   3. Have they a car?   4. Are you there?   5. Has she a brother?   6. Are they at (the) school?   7. Is Pierre here?   8. Is mother in the kitchen?   9. Are the birds in a cage?   10. Who is in the dining-room?   11. Who has the key of the door?   12. Here is the playground of the school.   13. Here are the boy's parents.   14. Where are the children's bicycles?   15. What is it?—It is a tortoise.

LEÇON QUATRE

GRAMMAR

(*a*) The Present Tense of the Verb **parler**, *to speak* or *to talk*

(The forms **parler**, *to speak*, **être**, *to be*, **avoir**, *to have*, are called Infinitives.)

je parle	*I speak*	or	*I am speaking*
tu parles	*you speak*	or	*you are speaking*
il parle	*he speaks*	or	*he is speaking*
elle parle	*she speaks*	or	*she is speaking*
nous parlons	*we speak*	or	*we are speaking*
vous parlez	*you speak*	or	*you are speaking*
ils parlent	*they* (m.) *speak*	or	*they are speaking*
elles parlent	*they* (f.) *speak*	or	*they are speaking*

The order, the command: *Speak!* is just **Parlez!**

(*b*) Regular Verbs ending in **-er**

A very large number of verbs follow the model of **parler**. Note the standard endings (-e, -es, -e, -ons, -ez, -ent) in these examples:

donner, *to give*	**montrer**, *to show*	**entrer**, *to enter*
je donne	je montre	j'entre
tu donnes	tu montres	tu entres
il donne	il montre	il entre
elle donne	elle montre	elle entre
nous donnons	nous montrons	nous entrons
vous donnez	vous montrez	vous entrez
ils donnent	ils montrent	ils entrent
elles donnent	elles montrent	elles entrent

(*c*) **Au, aux.**

We have already seen that **de** combines with **le** to form **du**, and with **les** to form **des**. In the same way **à** (=*at* or *to*) combines with **le** to form **au**, and with **les** to form **aux**. Before **l'** and **la**, **à** remains separate:

Il parle au professeur.	*He speaks to the teacher.*
Il parle aux élèves.	*He speaks to the pupils.*
Il parle à l'enfant.	*He speaks to the child.*
Il parle à la jeune fille.	*He speaks to the girl.*

LECTURE

En Classe

Voici la classe de monsieur Charlier. Le professeur a beaucoup d'élèves: seize filles et quinze garçons. Les élèves aiment beaucoup monsieur Charlier: c'est un bon professeur. Quand monsieur Charlier parle, les élèves écoutent. Les filles travaillent bien. Et les garçons, est-ce qu'ils travaillent bien aussi? Oui, ils travaillent bien. Quelquefois le professeur raconte une histoire qui amuse beaucoup les élèves.

Aujourd'hui, sur le tableau noir, monsieur Charlier a une carte de France. Il montre aux élèves les villes, les rivières, les montagnes. Les élèves posent au professeur des questions sur Paris, sur les restaurants, sur les cafés.

Et maintenant voici le directeur qui entre dans la salle de classe.

Le directeur: Bonjour, monsieur Charlier.

M. Charlier: Bonjour, monsieur le directeur.
Le directeur, *aux élèves*: Asseyez-vous, mes enfants.

Le directeur cause avec monsieur Charlier.

Jean, *à Louis*: As-tu des bonbons?
Louis: Oui ... voici un bonbon.   (*Il donne un bonbon
    à Jean.*)
Jean: Merci, mon vieux.

Le directeur regarde la classe.   Les élèves regardent
le directeur.

LE DIRECTEUR : Un instant, monsieur Charlier....
    Qui est-ce qui parle dans la classe ? C'est vous,
    Poussin ?
JEAN : Non ... oh oui, monsieur.
LE DIRECTEUR : Écoutez, Poussin.   J'entre dans la
    salle de classe et je parle au professeur.   Nous
    causons un instant ... et vous, vous parlez à
    Brugnon !

Le directeur parle.   Monsieur Charlier écoute, les
élèves écoutent ... et sur le plancher un animal marche
lentement, lentement.   Qu'est-ce que c'est ?   Mais c'est
la tortue de Jean Poussin !

VOCABULAIRE

le café, *the coffee; the café*
le bonbon, *the sweet, candy*
le plancher, *the floor*
le restaurant, *the restaurant*

la carte, *the map*
une histoire, *a story*
la montagne, *the mountain*
la rivière, *the river*
la ville, *the town, the city*

quand, *when*
aujourd'hui, *today*
bien, *well*
quelquefois, *sometimes*
lentement, *slowly*

aimer, *to like, to love*
amuser, *to amuse*
causer, *to chat, to converse*
donner, *to give*
écouter, *to listen (to)*
entrer, *to enter, to come in*
marcher, *to walk*
montrer, *to show*
parler, *to speak, to talk*
poser, *to put*
raconter, *to tell, to relate*
regarder, *to look at*
travailler, *to work*

asseyez-vous ! *sit down!*
en classe, *in class*
poser une question, *to put (ask) a question*

EXERCICES

I. Conjugate (*i.e.* give all the parts of) the Present tense of: marcher, aimer, être (*to be*), avoir (*to have*).

II. Add the required endings to the verbs:

elle écout—	nous regard—	il travaill—
tu écout—	il regard—	vous travaill—
vous écout—	tu regard—	ils travaill—
il écout—	ils regard—	tu travaill—
j'écout—	elle regard—	elle travaill—
ils écout—	je regard—	nous travaill—
nous écout—	elles regard—	elles travaill—
elles écout—	vous regard—	je travaill—

III. Replace the infinitive by the required form of the
     verb:

1. Nous (entrer) dans le restaurant. 2. Je (parler)
au monsieur. 3. Tu (regarder) la rivière. 4. Ils
(écouter) l'histoire du professeur. 5. Louis (donner)
un bonbon à Jean. 6. Vous (poser) des questions aux
élèves. 7. Catherine (regarder) la pendule. 8. Ils
(raconter) des histoires. 9. Les parents (entrer) dans
la maison. 10. Nous (regarder) les oiseaux.

IV. *Exemple:* Regardez le tableau noir ! — Je regarde le
     tableau noir.

1. Marchez à la porte ! 2. Fermez (= *close*) la porte !
3. Montrez une fenêtre ! 4. Montrez quatre murs !
5. Regardez la pendule ! 6. Montrez un animal !
7. Parlez à (Claude) ! 8. Parlez aux élèves ! 9. Donnez un livre à (Pierre) ! 10. Écoutez le professeur !
11. Posez une question au professeur ! 12. Travaillez
bien !

V. Put in the required form: **au, à la, à l'** or **aux**:

1. Le directeur parle — professeur. 2. Nous mar-
chons — ville. 3. Les enfants sont — école. 4. Il pose
des questions — élèves. 5. Elle donne un bonbon —
garçon. 6. L'homme montre l'animal — enfants.

VI. Put into the plural:

1. La bicyclette du garçon. 2. Le pupitre de l'élève.
3. La chambre de l'enfant. 4. La fenêtre de la cuisine.
5. Je montre la voiture au garçon. 6. Le professeur
pose une question à l'élève.

VII. Translate into French:

1. I work here. 2. I am looking at the map. 3. She
loves the cats. 4. He speaks to the gentleman.

5. Alphonse is listening. 6. We walk to the town. 7. We are looking at the river. 8. You like the mountains. 9. You are working well. 10. They enter (into) the café. 11. Mother and Father are chatting with some friends. 12. The men are at the café. 13. Are the parents at home? 14. Where are the boys?—They are at (the) school. 15. Give some sweets to the children.

LEÇON CINQ

GRAMMAR

(*a*) The Interrogative (*i.e.* question form) of **parler, donner**, etc.

In the first person singular the French always frame the question with **est-ce que**. In the other forms they use either **est-ce que** or the simple inversion of subject and verb.

Est-ce que je parle?   *Do I speak? or Am I speaking?*

{ Parles-tu?   { *Do you speak?*
{ Est-ce que tu parles?   { *Are you speaking?*

{ Parle-t-il (elle)?   { *Does he (she) speak?*
{ Est-ce qu'il (elle) parle?   { *Is he (she) speaking?*

{ Parlons-nous?   { *Do we speak?*
{ Est-ce que nous parlons?   { *Are we speaking?*

{ Parlez-vous?   { *Do you speak?*
{ Est-ce que vous parlez?   { *Are you speaking?*

{ Parlent-ils (elles)?   { *Do they speak?*
{ Est-ce qu'ils (elles) parlent?   { *Are they speaking?*

Note the *t* in *parle-t-il? parle-t-elle?*

(*b*) **D'un(e), à un(e)**

To say things like "of a pupil", "to a pupil" is perfectly simple:

le livre d'un élève, *the book of a pupil, a pupil's book*
la porte d'une maison, *the door of a house*

Le professeur parle à un élève. *The teacher speaks to a pupil.*

Ma mère parle à une jeune fille. *My mother is speaking to a girl.*

(c) The Possessive Adjective

	MASC. SING.		FEM. SING.		M. & F. PLUR.	
my	**mon**	frère	**ma**	sœur	**mes**	parents
your	**ton**	frère	**ta**	sœur	**tes**	parents
his or *her*	**son**	frère	**sa**	sœur	**ses**	parents
our	**notre**	frère	**notre**	sœur	**nos**	parents
your	**votre**	frère	**votre**	sœur	**vos**	parents
their	**leur**	frère	**leur**	sœur	**leurs**	parents

It is important to note that before a feminine singular noun beginning with a vowel, we use **mon, ton, son** instead of **ma, ta, sa:**

mon amie (*f.*); ton amie (*f.*); son école (*f.*).

At first there is always some difficulty with **son, sa, ses.** In English we say *his* if the owner is masculine, *her* if the owner is feminine. In French **son, sa** or **ses** may each mean *his* or *her*. What decides the form we use is the gender and number of the noun:

Il écoute son père.	*He listens to his father.*
Elle écoute son père.	*She listens to her father.*
Il aime sa mère.	*He loves his mother.*
Elle aime sa mère.	*She loves her mother.*
Il aime ses parents.	*He loves his parents.*
Elle aime ses parents.	*She loves her parents.*

(*d*) **Numbers 20–50**

20	vingt	31	trente et un
21	vingt et un	32	trente-deux
22	vingt-deux	33	trente-trois
23	vingt-trois	39	trente-neuf
24	vingt-quatre	40	quarante
25	vingt-cinq	41	quarante et un
26	vingt-six	42	quarante-deux
27	vingt-sept	45	quarante-cinq
28	vingt-huit	48	quarante-huit
29	vingt-neuf	50	cinquante
30	trente		

LECTURE

Le Matin: la Famille déjeune

Voici la maison des Bonnet. Monsieur Bonnet habite ici avec sa femme et ses enfants. Il a trois enfants: sa fille, Marie, et ses deux fils, Claude et Pierre.

C'est le matin. Le père et la mère déjeunent avec leurs enfants dans la salle à manger.

Regardez un instant monsieur Bonnet. Il porte un costume, un faux-col et une cravate. Regardez ses pieds. Il porte des chaussettes et des souliers.

Maintenant regardez la mère. Porte-t-elle un costume? Non, elle porte une robe, sa robe du matin. Est-ce qu'elle porte des chaussettes? Ah! mais non, elle porte des bas, et sa fille porte des bas. Les hommes portent des chaussettes, les femmes portent des bas.

Écoutez le père qui parle:

M. Bonnet: Mes enfants, est-ce que vous travaillez bien à l'école?

MARIE: Mais oui, papa, nous travaillons toujours bien ... ou presque toujours.

M. BONNET: Ah! presque toujours! Ma fille, mon fils, travaillez toujours bien, c'est important.... Quand le professeur pose une question, Claude, est-ce que tu donnes la réponse?

CLAUDE: Oh, quelquefois, papa.

M. BONNET: Bon!

Le repas est fini. Le père regarde sa montre.

M. BONNET: Est-ce que je porte mon pardessus aujourd'hui? . . . Non. . . . Voici la clef du garage. . . . Où est la clef de la voiture?

MME BONNET: Elle est dans la poche de ton pardessus, mon ami. Voici ton chapeau.

M. BONNET: Bon! Merci. . . . Au revoir, mon amie. . . . Au revoir, mes enfants.

Maintenant Claude et Marie cherchent leurs livres, leurs cahiers, leur stylo, leur crayon, leur règle.

CLAUDE ET MARIE: Au revoir, maman; au revoir, Pierre!

Pierre est petit: il reste à la maison avec sa mère.

VOCABULAIRE

le fils (*pl.* les fils), *the son*
le père, *the father*
le bas (*pl.* les bas), *stocking*
le chapeau (*pl.* -eaux), *the hat*
le costume, *the suit*
le faux-col, *the collar*
le matin, *the morning*
le pied, *the foot*
le repas, *the meal*
le soulier, *the shoe*

chercher, *to look for, to get*
déjeuner, *to have breakfast (or lunch)*
habiter, *to live*
porter, *to carry, to wear*
rester, *to stay*

la femme, *the woman, the wife*
la fille, *the daughter, the girl*
la mère, *the mother*
la chaussette, *the sock*
la cravate, *the tie*
la montre, *the watch*
la réponse, *the answer*
la robe, *the dress, the frock*

toujours, *always*
presque, *almost, nearly*
fini, *finished, over*
petit, *small, little*

mon ami, mon amie, *my dear*

EXERCICES

I. Conjugate in the Interrogative (*i.e.* question form):
rester, écouter, déjeuner, avoir, être.

II. Turn into questions, giving the alternative forms
where possible:

1. Tu restes. 2. J'écoute. 3. Ils parlent. 4. Elle
entre. 5. Vous habitez. 6. Nous restons. 7. Il travaille. 8. Elles cherchent. 9. Je porte. 10. Elle regarde. 11. Il a. 12. Nous sommes. 13. Il déjeune.
14. Vous avez. 15. Ils sont.

III. *Exemple:* J'ai mon chapeau
Tu as ton chapeau, etc.

Conjugate in this way:

J'écoute mon père.
Je regarde ma montre.
Je porte mes livres.
J'ai mon stylo, ma règle, mes cahiers.
Je suis dans ma chambre.

IV. Questions:

1. Avez-vous votre stylo? 2. Où sont vos livres?
3. Où est votre cahier? 4 Où est votre professeur?
5. Est-ce que vous avez votre montre? 6. Où est votre
mère? 7. Aimez-vous vos parents? 8. Aimez-vous
votre famille?

V. *Exemple:* Donnez votre cahier au professeur! — Je
donne mon cahier au professeur.

1. Écoutez mes questions! 2. Regardez votre montre!
3. Cherchez votre règle! 4. Fermez votre pupitre!

58

5. Montrez les pupitres des élèves ! 6. Regardez les souliers de Jean (Jeanne) ! 7. Montrez votre ami(e) ! 8. Donnez un crayon à votre ami(e) ! etc.

VI. Translate into French:

1. She is speaking to a friend. 2. He puts a question to a pupil. 3. I am telling the story of a dog. 4. It is the key of a car. 5. He has a friend's bicycle. 6. She gives some sweets to a child.

VII. Read out these numbers in French:

27, 16, 21, 36, 38, 15, 31, 40, 13, 43, 41, 46, 50, 49.

VIII. Translate into French:

1. Do I stay here? 2. Are they looking at the house? 3. Are you working? 4. Is he looking for the key? 5. Does he live here? 6. Do we like Claude's tie? 7. Is she staying at home? 8. Do the pupils listen when the teacher is speaking? 9. My brother, my sister and my parents. 10. His wife, his daughter and his sons. 11. Her dining-room, her lounge and her bedrooms. 12. Her story; his school. 13. Our car and our bicycles. 14. Your suit and your shoes. 15. Their table and their chairs.

LEÇON SIX

GRAMMAR

(a) Negation

To say "not" with a verb (*e.g.* I am not), two words are used in French: **ne**, placed before the verb, and **pas**, placed after the verb:

Je ne suis pas. *I am not.*

Vous ne regardez pas. $\begin{cases} \textit{You do not look.} \\ \textit{You are not looking.} \end{cases}$

Before a vowel **ne** becomes **n'**:

Ce n'est pas. *It is not.* Il n'a pas. *He has not.*

Negative Questions

Questions formed by placing the subject after the verb are made negative in a slightly different way:

Suis-je? Ne suis-je pas?
but: Est-ce que je suis? Est-ce que je ne suis pas?
Parlez-vous? Ne parlez-vous pas?
Est-ce que vous parlez? Est-ce que vous ne parlez pas?

Example of a verb conjugated negatively:

je ne donne pas	nous ne donnons pas
tu ne donnes pas	vous ne donnez pas
il ne donne pas	ils ne donnent pas

60

INTERROGATIVE NEGATIVE

est-ce que je ne donne pas?
{ est-ce que tu ne donnes pas?
{ ne donnes-tu pas?   etc.

Imperative: donnez! *give!* ne donnez pas! *do not give!*

(*b*) The Verb **ouvrir**, *to open.*

Although its infinitive ends in -*ir*, this verb is conjugated in the Present tense like *parler, donner,* etc.:

j'ouvre	nous ouvrons
tu ouvres	vous ouvrez
il ouvre	ils ouvrent

(*c*) **Les douze mois**

janvier	avril	juillet	octobre
février	mai	août	novembre
mars	juin	septembre	décembre

In September { en septembre
{ au mois de septembre

La date

"The first" is always **le premier**.   For all the other days we use the ordinary numbers: le deux, le trois, etc. After the number of the day we just put the month:

February 1st	le premier février
March 4th	le quatre mars
December 25th	le vingt-cinq décembre
It is June 30th.	C'est le trente juin.

Note that we say **le huit** and **le onze**, contrary to the usual custom of cutting off *e* before a vowel sound.

LECTURE

Jean ne trouve pas sa Montre

Pauvre Jean ! Il ne trouve pas sa montre. Il aime beaucoup sa montre parce que c'est un cadeau de son grand-père. Il cherche dans le salon, dans la salle à manger, mais il ne trouve pas sa montre.

Où est sa mère ? Elle travaille dans la cuisine, où elle lave des assiettes, des tasses, des verres, des couteaux, des fourchettes, des cuillers. Jean ouvre la porte et entre dans la cuisine.

« Maman !

— Qu'est-ce que c'est, mon fils ?

— Maman, je ne trouve pas ma montre. Où est-elle ?

— Tu ne trouves pas ta montre ? Si tu ne portes pas ta montre, elle est probablement dans ta chambre.»

Jean monte l'escalier, il entre dans sa chambre. Il cherche partout, sur le plancher, sous son lit, dans les coins, mais il ne trouve toujours pas sa montre.

Et voici madame Poussin qui monte l'escalier. Elle demande:

« Jean, ta montre n'est-elle pas dans ta chambre?
— Non, maman, elle n'est pas là.»

Madame Poussin entre dans la salle de bains. Elle cherche partout, mais elle ne trouve pas la montre de Jean. Enfin elle touche un rideau. Ah! voilà la montre qui est derrière le rideau!

« Jean! voici ta montre.»

Jean arrive:

« Ah bon! Merci beaucoup, maman.»

VOCABULAIRE

le cadeau (*pl.* -eaux), *the present*
le coin, *the corner*
le couteau (*pl.* -eaux), *the knife*
un escalier, *a staircase, stairs*
le grand-père, *the grandfather*
le lit, *the bed*
le rideau (*pl.* -eaux), *the curtain*
le verre, *the glass*

une assiette, *a plate*
la cuiller, *the spoon*
la fourchette, *the fork*
la salle de bains, *the bathroom*
la tasse, *the cup*

arriver, *to arrive*
chercher, *to search*
demander, *to ask*
laver, *to wash (up)*
monter, *to go (come) up*
toucher, *to touch*
trouver, *to find*

pauvre, *poor*
si, *if*
parce que, *because*
sous, *under*
enfin, *finally, at last*
partout, *everywhere*
probablement, *probably*
toujours, *always, still*

EXERCICES

I. Complete the conjugation:

Je ne suis pas
Est-ce que je ne suis pas?
Ne suis-je pas?

Je n'ai pas.
Est-ce que je n'ai pas?
N'ai-je pas?

Je n'écoute pas.
Est-ce que je n'écoute pas?

II. Make negative:

Es-tu? est-ce que nous sommes? elle est; vous êtes; sont-ils?

Nous avons; avez-vous? est-ce que tu as? ils ont; a-t-elle? ai-je? est-ce qu'elles ont?

Est-ce que je reste? nous habitons; est-ce qu'ils déjeunent? vous montez; parle-t-il? elle arrive; entrons-nous? elles regardent; tu travailles.

III. Make negative:

1. Je montre mon cahier. 2. Écoutez ses histoires!
3. Porte-t-il son chapeau? 4. Jean trouve sa montre.
5. Est-ce que vous avez votre clef? 6. Paul est dans son lit. 7. Tu portes ton pardessus. 8. Ouvre-t-il sa fenêtre? 9. Regardez mes souliers! 10. C'est ma bicyclette!

IV. Give a negative reply:

1. Votre père travaille-t-il à la maison? 2. Votre mère est-elle à l'école? 3. Le directeur est-il dans notre salle de classe? 4. Est-ce que vous avez quatre

pieds? 5. Portez-vous votre chapeau en classe? 6. Travaillez-vous dans votre chambre? 7. Est-ce que vous avez une pendule dans votre chambre? 8. Votre lit est-il dans la cuisine? 9. Avez-vous une tortue dans votre pupitre? 10. Qu'est-ce que c'est? Est-ce un stylo? — Non, monsieur, ce n'est pas un stylo, c'est une règle. etc.

V. *Exemple:* 2.vi.: le deux juin.

Write these dates in French:

12.iv.	31.iii.	4.ii.
7.viii.	11.xi.	16.x.
1.vii.	15.i.	21.vi.
25.xii.	8.ix.	9.v.

VI. Put into the plural:

1. Je regarde un oiseau dans une cage. 2. Il cherche son fils. 3. L'enfant regarde l'animal. 4. Je donne un cadeau à l'enfant. 5. L'homme pose une question au garçon. 6. Je n'écoute pas à la porte. 7. Elle ouvre la fenêtre de la chambre. 8. Voici la bicyclette du garçon.

VII. Translate into French:

1. My father isn't at home. 2. Aren't your parents here? 3. We haven't the key of the garage. 4. Do I stay here? 5. Hasn't he his watch? 6. The dog does not like the cat. 7. We are not staying here. 8. You don't listen to the question. 9. Don't I speak well? 10. Don't open the door! 11. Don't look at her hat! 12. Do your friends arrive in September?—No, in October.

LEÇON SEPT

GRAMMAR

(*a*) The Present Tense of the Irregular Verbs **faire** and **dire**

Faire, *to make, to do*   **Dire**, *to say, to tell*

je fais	je dis
tu fais	tu dis
il fait	il dit
nous faisons	nous disons
vous faites	vous dites
ils font	ils disent

IMPERATIVE   IMPERATIVE

faites ! *make! do!*   dites ! *say! tell!*

INTERROGATIVE   INTERROGATIVE

est-ce que je fais?   est-ce que je dis?

{ est-ce que tu fais?   { est-ce que tu dis?

{ fais-tu?   etc.   { dis-tu?   etc.

Note. In spite of their preference for using *est-ce que* when asking questions in the first person singular, the French sometimes say *dis-je?* instead of *est-ce que je dis?*

(*b*) **Que?**
Qu'est-ce que? } *What?*

In the sentence "What are you saying?" *What* is the Object. This is more clearly seen if the sentence is rearranged thus: "You are saying what?" In French, *what* as the Object is **que**:

Que dites-vous? *What say you?* *What are you saying?* *What do you say?*

Que faites-vous? *What do you?* *What are you doing?* *What do you do?*

Instead of **que**, the French make great use of the longer form **qu'est-ce que**, which really means *what is it that* . . .

Qu'est-ce que vous dites? *What is it that you say?* *What are you saying?* *What do you say?*

Qu'est-ce qu'il fait? *What is it that he does?* *What is he doing?* *What does he do?*

Note that before a vowel *que* is shortened to *qu'*.

(*c*) **Il y a** means *there is* or *there are*:

Il y a une lettre sur la table. *There is a letter on the table.*

Il y a des lettres sur la table. *There are some letters on the table.*

Note that **voilà** (*there is, there are*) is used for pointing out, whereas **il y a** is used for just stating a plain fact.

The negative form is **il n'y a pas**, *there is (are) not.*
The interrogative form is **y a-t-il?** or **est-ce qu'il y a?**

Y a-t-il une pendule dans la salle?

Est-ce qu'il y a des lettres?

Note the useful forms:

Qu'y a-t-il?
Qu'est-ce qu'il y a? } *What is there?*

In conversation, *Qu'y a-t-il? Qu'est-ce qu'il y a?* are often used with the meaning of "What is the matter?"

Qu'y a-t-il, Jean?
Qu'est-ce qu'il y a, Jean? } *What is the matter, John?*

LECTURE

Le Facteur

Ah! voilà le facteur qui arrive sur sa bicyclette! Qu'est-ce qu'il porte sur le dos? Sur le dos il porte un sac. Qu'y a-t-il dans le sac? Il y a des lettres, des cartes, des paquets.

Le facteur arrive à la porte des Poussin. Il frappe à la porte, *toc! toc!* C'est madame Poussin qui ouvre. Elle dit au facteur:

« Ah ! bonjour, est-ce qu'il y a des lettres pour nous ?

— Oui, madame, dit le facteur, aujourd'hui il y a deux lettres et un paquet. Voilà les lettres et voici le paquet, madame.

— Merci . . . au revoir.

— Un instant, s'il vous plaît, madame, dit le facteur. Dites, qui est-ce qui habite en face ? Est-ce monsieur Pernaud ?

— Oui, c'est monsieur Pernaud. C'est un marchand; il a un magasin en ville.

— Bon, bon. . . . Mais dites, madame, est-ce que sa femme travaille au magasin, elle aussi ?

— Non. Pourquoi pensez-vous qu'elle travaille au magasin ?

— Parce qu'elle n'est pas à la maison.

— Vous dites qu'elle n'est pas à la maison ? Écoutez, c'est une femme qui aime rester au lit le matin. Elle est certainement dans la maison, probablement dans sa chambre.

— Bien ! Merci, madame. Au revoir.»

Le facteur traverse la rue et frappe encore à la porte des Pernaud. Il écoute. Tout à coup, une voix, la voix de madame Pernaud:

« Qu'est-ce qu'il y a ? Qui êtes-vous ? Que faites-vous là ? Qu'est-ce que vous désirez ?

— C'est le facteur ! J'ai un paquet pour monsieur Pernaud !

— Qu'est-ce que vous dites ?

— Je dis qu'il y a un paquet pour monsieur Pernaud !

— Vous dites qu'il y a des lettres pour mon mari ?

— Non, un paquet !

— Eh bien, ouvrez la porte, entrez et laissez votre paquet sur la table qui est là !

— Bien, madame.»

Mais le facteur n'entre pas.   Il laisse le paquet sur le pas de la porte:

« Ah, les femmes ! » dit-il et il monte sur sa bicyclette.

VOCABULAIRE

le dos, *the back*	faire, *to make, to do*
le facteur, *the postman*	dire, *to say, to tell*
le magasin, *the shop*	désirer, *to want*
le marchand, *the shopkeeper*	frapper, *to knock*
le mari, *the husband*	laisser, *to leave*
le paquet, *the packet, parcel*	penser, *to think*
le pas, *the step*	traverser, *to cross*
le sac, *the bag*	
	pour, *for*
la carte, *the card; the map*	pourquoi? *why?*
la lettre, *the letter*	encore, *again*
la rue, *the street*	tout à coup, *suddenly*
la voix, *the voice*	en face, *opposite*
	en ville, *in (into) town*

bien ! *all right! very well!*
eh bien, *well*
s'il vous plaît, *(if you) please*
je dis (pense) que . . ., *I say (think) that . . .*

EXERCICES

I. Complete the conjugation:

Je fais mon travail (*work*).
Je ne fais pas mon travail.
Est-ce que je fais mon travail?

Je dis que j'écoute.
Je ne dis pas non.
Est-ce que je dis que je n'aime pas mon travail?

II. Put in the required form of **faire**:

1. Que — -il? 2. Qu'est-ce que vous — ? 3. Est-ce que nous — bien notre travail? 4. Que — Jean? 5. Qu'est-ce qu'ils — ? 6. Que — -tu? 7. Qu'est-ce que je — maintenant? 8. Que — les garçons?

Put in the required form of **dire**:

1. Qu'est-ce qu'elle — ? 2. Que — -tu? 3. Qu'est-ce que nous —? 4. Que — -vous? 5. Que — les parents? 6. Qu'est-ce que je — au marchand? 7. Que — Claude au professeur?

III. Complete these questions with **que(qu')** or **qu'est-ce que(qu')**:

1. — il fait aujourd'hui? 2. — dis-tu? 3. — fait Marie? 4. — vous faites là? 5. — cherchez-vous? 6. — donnent-ils aux enfants? 7. — nous disons? 8. — tu cherches dans le garage? 9. — y a-t-il dans le coin? 10. — il y a sous la table?

IV. Questions:

1. Que faites-vous quand vous arrivez à l'école? 2. Que faites-vous en classe? 3. Qu'est-ce que vous faites maintenant? 4. Qu'y a-t-il sur votre pupitre? 5. Qu'est-ce qu'il y a dans votre pupitre? 6. Y a-t-il une tortue dans votre pupitre? 7. Est-ce qu'il y a un tableau noir dans notre salle de classe? 8. Quand vous entrez dans une salle, est-ce que vous frappez à la porte? 9. Qu'est-ce que vous portez aujourd'hui? 10. Qu'est-ce que vous avez dans votre chambre? 11. Qu'y a-t-il dans la cuisine? 12. Que fait votre mère dans la cuisine? 13. Y a-t-il une salle à manger dans notre école? 14. Est-ce qu'il y a un bon restaurant dans la ville?

V. Turn into questions:

1. Tu as une assiette. 2. Je laisse la clef de ma chambre. 3. Ta mère est à la maison. 4. Vous dites que c'est bon. 5. Ma sœur est ici. 6. Il marche toujours lentement. 7. Nous arrivons à la ville. 8. Les hommes sont au café. 9. Il y a une chambre pour mon fils. 10. Il y a des rideaux aux fenêtres.

VI. Make negative:

1. Écoutez aux portes! 2. Entrez dans la cour! 3. Donnez la clef à François! 4. Restez là! 5. Traversez la rue! 6. Marchez lentement! 7. Regardez la pendule! 8. Portez votre pardessus! 9. Montez l'escalier! 10. Laissez vos souliers dans la salle de bains! 11. Ouvrez la porte! 12. Touchez mon chien! 13. Dites bonjour au directeur! 14. Fermez les fenêtres!

VII. Express in French in two ways:

1. What is he doing? 2. What do you say? 3. What are they looking at? 4. What am I saying? 5. What do you give to the children? 6. What is there in the postman's bag?

VIII. Translate into French:

1. The door of the shop. 2. Father is chatting with the postman. 3. We don't listen to his stories. 4. Don't knock at the door! 5. Do I leave my key? 6. Does M. Fumard work here? 7. Don't you open the windows of your bedroom? 8. Come in, my friends. Now what is the matter?

LEÇON HUIT

GRAMMAR

(*a*) The Irregular Verb **aller**, *to go*.

PRESENT TENSE   INTERROGATIVE

je vais	est-ce que je vais?
tu vas	{ est-ce que tu vas?
il va	{ vas-tu?
nous allons	{ est-ce qu'il va?
vous allez	{ va-t-il?
ils vont	etc.

IMPERATIVE: allez!   IMP. NEGATIVE: n'allez pas!

"I am going to (do)" is said quite easily in French:

Je vais rester.   *I am going to stay.*
Il va parler.   *He is going to speak.*
Nous allons écouter.   *We are going to listen.*

Note the much-used expressions:

Comment allez-vous?   *How are you?*
Très bien, merci, et vous?   *Very well, thank you, and (how are) you?*
Comment va ta mère?   *How is your mother?*

(*b*) **The Agreement of Adjectives with Nouns**

The adjective **petit** means *little* or *small*. Study these examples:

MASC. SING.	le **petit** garçon
FEM. SING.	la **petite** fille
MASC. PLUR.	les **petits** garçons
FEM. PLUR.	les **petites** filles

73

Thus we see that to form the feminine of an adjective, we add *e* to the masculine form. When an adjective qualifies a plural noun, it takes the plural *s* in the same way as the noun.

Note that adjectives ending in *e* in the masculine remain unchanged in the feminine:

le jeune homme	la jeune fille
the young man	*the young girl*

Exceptional Feminines

MASCULINE		FEMININE
bon	*good*	bonne
vieux	*old*	vieille
premier	*first*	première
cher	*dear*	chère
beau	*beautiful*	belle
nouveau	*new*	nouvelle
long	*long*	longue
gros	*big*	grosse
blanc	*white*	blanche

(*c*) Points concerning the Plural of Nouns and Adjectives.

Nouns and adjectives ending in **s** or **x** remain unchanged in the plural:

SINGULAR		PLURAL
le fils	*the son*	les fils
le gros chien	*the big dog*	les gros chiens
la voix	*the voice*	les voix
le vieux mur	*the old wall*	les vieux murs

Nouns and adjectives ending in **-eau** form their plural in **-eaux**:

le beau cadeau, les beaux cadeaux.

Nouns ending in **-al** form their plural in **-aux**:
un animal, des animaux.

(d) **Les jours de la semaine** (*The days of the week*)

(le) lundi	*Monday*	(le) vendredi	*Friday*
(le) mardi	*Tuesday*	(le) samedi	*Saturday*
(le) mercredi	*Wednesday*	(le) dimanche	*Sunday*
(le) jeudi	*Thursday*		

Note the useful:

le matin, *the morning*	vendredi matin, (*on*) *Friday morning*
l'après-midi, *the afternoon*	dimanche après-midi, (*on*) *Sunday afternoon*
le soir, *the evening*	mardi soir, (*on*) *Tuesday evening*
la nuit, *the night*	

Study these examples:

Le matin nous allons à l'école. *In the morning we go to school.*

Le soir, nous restons à la maison. *In the evening we stay at home.*

Qu'est-ce que vous allez faire samedi? *What are you going to do on Saturday?*

Allez-vous à Paris samedi soir? *Are you going to Paris on Saturday evening?*

Non, lundi matin. *No, on Monday morning.*

75

LECTURE

Petite Conversation avec l'Épicier

Dans une petite rue près de la maison des Bonnet, il y a une épicerie. Monsieur Peuchère, l'épicier, est un petit homme avec des cheveux blancs. Madame Bonnet va souvent à l'épicerie de monsieur Peuchère.

Regardez! Voilà l'épicerie, là, dans la rue Lévis. Et voilà une jeune fille, une très jolie fille, qui arrive devant le magasin. Qui est-ce? Mais c'est notre petite amie, Marie Bonnet! Elle entre, elle dit à l'épicier:

« Bonjour, monsieur Peuchère.

— Ah! bonjour, mademoiselle, comment allez-vous aujourd'hui?

— Très bien, merci, et vous?

— Oh, très bien, mademoiselle. Vos parents vont bien?

— Oui, merci.

— Alors, dit monsieur Peuchère, qu'est-ce que vous désirez, mademoiselle?

— Un kilo de sucre et une livre de beurre, s'il vous plaît.

— Bien. . . . Belle journée, mademoiselle! Qu'est-ce que vous allez faire aujourd'hui? Vous n'allez pas rester à la maison?

— Ah! non. Après déjeuner, nous allons en voiture à Chantonnay, à la ferme de mon oncle.

— Ah! votre oncle a une ferme? C'est une grande ferme?

— Non, ce n'est pas une très grande ferme.

— Et qu'est-ce que vous allez faire dans la ferme?

— Oh, mes parents vont causer avec mon oncle, ma tante et ma vieille grand'mère. Claude et Louis (c'est mon cousin) vont jouer dans la cour. Nous allons regarder les animaux. . . .

— Y a-t-il beaucoup d'animaux?

— Oh, oui. Il y a cinq ou six grosses vaches, trois gros cochons, des moutons avec leurs petits agneaux. Puis mon oncle a deux gros chiens.

— Vous aimez ses chiens?

— J'aime un des chiens, mais pas l'autre.»

Mais alors une vieille dame entre dans l'épicerie:

«Bonjour, madame,» dit monsieur Peuchère. Puis il dit à Marie:

«Eh bien, au revoir, mademoiselle. Bonne promenade!»

VOCABULAIRE

le cousin, *the cousin*
un épicier, *a grocer*
un oncle, *an uncle*
un agneau (*pl.* -eaux), *a lamb*
le beurre, *the butter*
les cheveux (*m.*), *the hair*
le cochon, *the pig*
le déjeuner, *the lunch*
le kilo, *kilogram* (2¼ lbs)
le mouton, *the sheep*
le sucre, *the sugar*

la dame, *the lady*
la grand'mère, *the grandmother*
mademoiselle, *Miss*
la tante, *the aunt*
une épicerie, *a grocer's shop*
la ferme, *the farm*
la journée, *the day*
la livre, *the pound* (½ kilogram)
la promenade, *the walk, trip*
la vache, *the cow*

autre, *other*
beau, *f.* belle, *beautiful*
blanc, *f.* blanche, *white*
bon, *f.* bonne, *good*
grand, *large*
gros, *f.* grosse, *big*
jeune, *young*
joli, *pretty*
petit, *little, small*
vieux, *f.* vieille, *old*

aller, *to go*
jouer, *to play*
comment? *how?*
alors, *then; well now!*
puis, *then*
souvent, *often*
très, *very*
près de, *near (to)*
en voiture, *by car*

EXERCICES

I. Conjuguez:

> Je vais en ville.
> Est-ce que je vais à ma classe?
> Je vais rester dans ma chambre.
> Je ne vais pas porter mon chapeau.

II. *Exemple:* Je ferme la porte.   Je vais fermer la porte.

1. Nous regardons la rivière.   2. Tu portes tes autres souliers.   3. Les garçons jouent dans la cour.

4. Vous faites les chambres. 5. Mes parents déjeunent au restaurant. 6. Marie lave les verres. 7. Je ne raconte pas la même histoire. 8. Posez-vous des questions aux élèves?

III. *Exemple:* Je vais ouvrir la fenêtre. Qu'est-ce que je vais faire? — Vous allez ouvrir la fenêtre.

1. Je vais fermer mon livre. 2. Je vais parler aux parents. 3. Je vais raconter une petite histoire. 4. Je vais regarder ma montre. 5. Je vais ouvrir votre pupitre. 6. Je vais donner un crayon à (Jean). 7. Je vais poser une question à (Louis). 8. Je vais chercher mon chapeau.

IV. Questions:

1. Comment allez-vous aujourd'hui? 2. Est-ce que vos parents vont bien? 3. Qu'est-ce que nous allons faire en classe? 4. Qu'allez-vous faire après la classe? 5. Qu'est-ce que vous allez faire samedi? 6. Travaillez-vous beaucoup le soir? 7. Est-ce que vous avez la télévision à la maison? 8. Votre père aime-t-il regarder la télévision?

V. Replace the dashes by the required form of the adjective indicated:

1. (grand) Mon — frère; leur — maison; les — villes; ses — pieds.

2. (joli) Une — femme; votre — chapeau; tes — cheveux; ses — robes.

3. (jeune) Son — frère; une — dame; les — filles.

4. (bon) Nos — amis; les — familles; sa — tante.

5. (beau) Vos — enfants; ta — voix; les — rivières.

6. (vieux) Un — monsieur; une — dame; mes — souliers.

7. (gros)   Sa — voix; les — animaux; deux — vaches.

8. (cher)   Ma — amie; mon — monsieur; mes — parents.

9. (long)   Une — rue; un — mur; ses — histoires.

VI. Put into the plural:

1. le gros animal.   2. l'autre chambre.   3. le petit oiseau.   4. une carte blanche.   5. le vieux chien. 6. le beau jour.   7. le bon repas.   8. mon pauvre chat.

VII. Translate into French:

1. I am going to open the window.   2. Paul is going to stay at home.   3. How are you?—I am very well, thank you.   4. An old lady; our good friends; my dear aunt; a big cat; the long streets; your beautiful daughters; my good woman; his big voice.   5. On Wednesday we are going to lunch with some friends. 6. Does he arrive (on) Thursday evening?—No, (on) Friday morning.   7. (In) the morning she works at home; (in) the afternoon she goes to town.   8. What do you do (in) the evening?—Very often we watch the television.

VIII. *Composition française.*

Petite conversation avec une dame ou un monsieur.

LEÇON NEUF

GRAMMAR

(a) The Imperative: Second Person Singular

Tu fermes la porte.	Ferme la porte !
Tu cherches ton chapeau.	Cherche ton chapeau !
Tu vas à l'épicerie.	Va à l'épicerie !
Tu fais ton travail.	Fais ton travail !
Tu dis bonjour.	Dis bonjour !

Note that there is no *s* on the Imperative **ferme! cherche! va!**

First Person Plural

Nous donnons	Donnons !	*Let us give!*
Nous allons	Allons !	*Let us go!*
Nous jouons	Jouons !	*Let us play!*

Imperative Negative

2ND P. SING.	donne !	ne donne pas !
2ND P. PLUR.	donnez !	ne donnez pas !
1ST P. PLUR.	donnons !	ne donnons pas !

(b) Agreement of Adjectives

In all circumstances the adjective must agree with the noun or pronoun it qualifies:

Votre fils est grand.   Il est grand.
Votre fille est grande.   Elle est grande.
Vos enfants sont grands.   Ils sont grands.
Vos filles sont grandes.   Elles sont grandes.

« Ah ! dit Marie, je suis fatiguée ! »
Tu es fatiguée, maman.

Vous is regarded as singular when one person is addressed, plural when several persons are addressed:

Mon ami, vous êtes jeune.
Mes amis, vous êtes jeunes.

An adjective qualifying nouns of mixed gender is made masculine plural:

Ton père et ta mère sont fatigués.

(c) Position of Adjectives

Although a few much-used adjectives are placed before the noun, the normal place of the adjective is after the noun, *e.g.* un livre bleu, une ville française.

The following precede the noun:

grand	*large*	vieux	*old*	bon	*good*
petit	*small*	joli	*pretty*	gros	*big*
jeune	*young*	beau	*beautiful*	autre	*other*

Here are some adjectives which follow the noun:

blanc	*white*	anglais	*English*
bleu	*blue*	américain	*American*
jaune	*yellow*	français	*French*
noir	*black*	aimable	*nice, kind*
rouge	*red*	amusant	*amusing*
vert	*green*	content	*glad, pleased*
		malade	*ill, sick*

Examples:

un chat noir   un homme aimable
une voiture française   un enfant malade

(d) Note the question:

De quelle couleur est votre livre? — Il est bleu.
What colour is your book?—It is blue.

Comment means *how*.   It is often used thus:
   Comment est son mari? — Il est très grand.
   What is her husband like?—He is very tall.

LECTURE

A LA FERME

Regardez madame Bonnet qui est là, devant sa maison !   Elle porte aujourd'hui une robe blanche et un petit chapeau vert.   Elle est jolie, madame Bonnet; oui, c'est une jolie femme.

Son mari arrive avec la voiture.   Que pensez-vous de sa voiture?   Elle n'est pas très grande, mais c'est une très bonne voiture; elle est bleue.

Où vont les Bonnet?   Ils vont à la ferme de l'oncle Jules.   Les parents sont contents parce qu'ils vont voir l'oncle, la tante et la vieille grand'mère.   Les enfants, Marie, Claude et Pierre, sont contents parce qu'ils vont à la campagne.

La mère et les enfants montent dans la voiture avec le père.   Alors, en route !

Ils arrivent enfin à la ferme.   Leur voiture entre dans la cour.   L'oncle et la tante sont là:

« Ah ! bonjour, dit la tante Henriette, comment vas-tu, Jacqueline?   Comment vas-tu, Georges? . . . Et Marie . . . Claude . . . mon petit Pierre?   Ne restez pas là ! Entrez, entrez !   Asseyez-vous ! »

Les parents causent; Marie et Pierre écoutent.   Les grands garçons, Louis et Claude, restent près de la porte.

« Qu'est-ce que nous allons faire? demande Claude.

— Allons dans les bois ! dit Louis.

— Bon ! allons dans les bois ! »

Les deux garçons traversent la cour, puis la grande prairie et ils entrent dans les bois.

Et le petit Pierre, qu'est-ce qu'il va faire?

« Marie, dit-il à sa grande sœur, allons voir les poules et les canards.

— Non. Les cochons sont dans la cour, et tu n'aimes pas les cochons.

— Eh bien, allons voir les chevaux.»

L'oncle Jules, qui écoute, dit à Pierre:

« Mais, mon petit, mes chevaux sont aujourd'hui dans l'autre prairie, près de la rivière. . . . Écoute, Pierre, allons voir le gros taureau ! »

Pierre est content. Avec son oncle il traverse la cour, et voilà le taureau, le grand taureau noir !

« Touche sa tête ! dit l'oncle.

— Oh ! non.

— Regarde, je touche sa tête. Il est bon, le vieux taureau. Va, Pierre, touche sa tête ! »

Et le petit garçon touche la grosse tête noire du taureau.

VOCABULAIRE

le bois, *the wood*	content, *glad, pleased*
le canard, *the duck*	bleu, *blue*
le cheval (*pl.* -aux), *the horse*	noir, *black*
le taureau, *the bull*	vert, *green*
la campagne, *the country*	voir, *to see*
la prairie, *the meadow*	en route ! *on the way! off we*
la poule, *the hen*	(*they, etc.*) *go!*
la tête, *the head*	

EXERCICES

I. *Exemple:* parler

    parle !   ne parle pas !

    parlez !   ne parlez pas !

    parlons ! ne parlons pas !

Give the same Imperative forms of: écouter, dire, regarder, ouvrir, laisser, faire, frapper, aller.

II. *Exemple:* Vous fermez la porte. Fermez la porte !

1. Nous ouvrons les paquets. 2. Tu ne dis pas non. 3. Vous cherchez vos cahiers. 4. Nous n'allons pas en ville. 5. Tu regardes les canards. 6. Vous n'entrez pas dans les bois. 7. Tu vas à l'épicerie. 8. Nous faisons notre travail. 9. Vous restez au lit. 10. Nous parlons aux parents. 11. Tu ne traverses pas la rue. 12. Nous ne restons pas ici.

III. Give the adjective its correct form:

1. La rue est (long). C'est une (long) rue. 2. Leurs fils sont très (jeune). 3. Vos filles sont (beau). 4. Ma grand'mère est très (vieux). 5. Les vaches sont (gros). Elles sont (gros). 6. « Je suis (content) » dit Marie. 7. Maman et papa sont (fatigué). 8. Es-tu (fatigué), ma fille ? 9. « Nous sommes (content),» disent les jeunes filles. 10. Ma tante, tu es bien (bon) ! 11. Vous n'êtes pas (malade), mes enfants ? 12. Ma robe est (blanc). Elle est (blanc).

IV. Put into the plural:

1. Le joli chapeau rouge. 2. Votre long rideau bleu. 3. Le bon repas français. 4. Le petit agneau blanc. 5. Votre gros cheval noir. 6. La vieille ville française. 7. Le pauvre animal malade. 8. La belle prairie verte. 9. La grosse voiture américaine. 10. La vieille dame aimable. 11. Le grand bois noir. 12. Sa petite histoire amusante.

V. *Exemple:* De quelle couleur est votre livre? — Il est bleu.

1. De quelle couleur sont vos souliers ? 2. De quelle couleur sont les murs de votre chambre ? 3. De quelle couleur est le beurre ? 4. De quelle couleur est le sucre ? 5. De quelle couleur sont les moutons ? 6. De quelle couleur sont les prairies ?

VI. *Exemple:* Comment est votre frère? — Il est petit.

1. Comment est votre père ? 2. Comment est votre mère ? 3. Comment est votre maison ? 4. Comment est votre chambre ? 5. Comment est votre montre ? 6. Comment est votre bicyclette ?

VII. Questions:

1. Qui est-ce qui est devant la classe? 2. Qui est près de la porte? 3. (Jean), êtes-vous fatigué aujourd'hui? 4. Les élèves sont-ils dans la cour? 5. Est-ce que je parle bien? 6. Voici ma montre. Qu'est-ce que c'est? 7. Y a-t-il une pendule dans la salle? 8. Qu'est-ce qu'il y a dans votre pupitre? 9. Que dites-vous quand vous quittez (*leave*) un ami? 10. Qu'est-ce que vous faites après la classe?

VIII. Translate into French:

1. Go up the stairs and knock at the door. 2. Listen, my boy, don't play in the street! 3. Say thank you to the gentleman. 4. Don't leave your books at home! 5. Let us listen; let us go; let us do our work. 6. Don't let us go in; let us not stay here. 7. Catherine says that she is tired. 8. A pretty little house; a big French car; a pretty red dress; an amusing little story; a nice old lady. 9. (Of) what colour is your bag?—It is red. 10. What is your bedroom like?—It is very small.

XI. *Composition française.*

Visite à une ferme.

LEÇON DIX

GRAMMAR

(*a*) Peculiarities of some Verbs ending in **-er**.

1. Note the 1st person plural of verbs ending in **-ger** and **-cer**:

Manger, *to eat*   Nous mangeons
Commencer, *to begin* Nous commençons

2. **Acheter,** *to buy;* **espérer,** *to hope.* Note carefully the *è* before the mute endings (*-e, -es, -e, -ent*):

j'achète	j'espère
tu achètes	tu espères
il achète	il espère
nous achetons	nous espérons
vous achetez	vous espérez
ils achètent	ils espèrent

Verbs which have an unaccented *e* before the ending (*e.g.* lever, *to raise*, mener, *to lead*) follow the model of **acheter**. Verbs with *é* before the ending (*e.g.* répéter, *to repeat*) follow the model of **espérer**.

3. **Jeter,** *to throw;* **appeler,** *to call.*

In these verbs, instead of *è* before mute endings, we have a doubled consonant, which produces the same effect:

je jette	nous jetons
tu jettes	vous jetez
il jette	ils jettent

j' appelle	nous appelons
tu appelles	vous appelez
il appelle	ils appellent

4. **Envoyer,** *to send.*

j'envoie	nous envoyons
tu envoies	vous envoyez
il envoie	ils envoient

All verbs ending in *-oyer* (*e.g.* employer, *to use*) follow the model of *envoyer.*

(b) The Demonstrative Adjective

In English we have two demonstrative adjectives, *this* and *that*. In French there is only one, which must be taken as meaning *this* or *that*, plural *these* or *those*.

MASC. SING.	FEM. SING.	M. & F. PLUR.
ce garçon	**cette** dame	**ces** garçons
cet before a vowel:	**cette** lettre	**ces** amis
cet ami, cet homme		**ces** dames

(c) The plural form of **c'est** is **ce sont**:

C'est mon frère.	Ce sont mes frères.
C'est une vache.	Ce sont des vaches.

⋏(d) **Numbers 51–80.**

51	cinquante et un	69	soixante-neuf
52	cinquante-deux	70	soixante-dix
57	cinquante-sept	71	soixante et onze
60	soixante	72	soixante-douze
61	soixante et un	78	soixante-dix-huit
62	soixante-deux	80	quatre-vingts

LECTURE

LA CHAMBRE DE CLAUDE

Marie et Claude sont assis devant la table de la salle
à manger.   Leur mère entre et demande:

« Qu'est-ce que vous faites, mes enfants?

— Nous commençons nos devoirs, maman, dit Marie.

— Ah! vous allez faire vos devoirs?   C'est bien...
mais vous mangez!   Qu'est-ce que vous mangez à cette
heure? »

Claude lève la tête:

« Nous mangeons des bonbons, dit-il.

— Comment! vous mangez des bonbons une heure
avant le repas?   C'est stupide, mes enfants! Ne
mangez pas entre vos repas, c'est très mauvais pour la

digestion. . . . J'envoie Marie à l'épicerie acheter des œufs. Voici l'argent, ma fille. Va au magasin de monsieur Peuchère et achète une douzaine d'œufs.»

Marie n'est pas contente, mais elle quitte son travail et va à l'épicerie de la rue Lévis.

Puis madame Bonnet monte l'escalier, elle ouvre la porte d'une chambre; c'est la chambre de Claude. Elle lève les mains, elle fait « Oh ! » Elle appelle son fils:

« Claude ! Claude !

— Qu'est-ce que c'est, maman ? crie Claude.

— Viens ici un instant ! Je suis dans ta chambre.»

Claude monte l'escalier:

« Qu'est-ce qu'il y a, maman ? demande-t-il.

— Qu'est-ce qu'il y a ? dit sa mère. Mais regarde ta chambre ! C'est le désordre ! Regarde ton lit: ce pantalon, ces chaussettes, cette cravate ! . . . et ce veston ! Mais qu'est-ce que tu as dans les poches de ce veston ? Pourquoi portes-tu dans ta poche cette balle, ce canif, ces crayons ? Combien de crayons ? Sept ! . . . Et ces morceaux de craie . . . ces mouchoirs sales. Combien de mouchoirs y a-t-il ? . . . Trois ! . . . Mais dis, mon garçon, pourquoi as-tu dans ta poche ces morceaux de craie ?

— Eh bien, maman, à l'école nous avons un professeur qui jette des morceaux de craie. . . .

— Comment ! un professeur qui jette des morceaux de craie ! Mais ce sont les élèves qui jettent les morceaux de craie !

— Écoute, maman. Quand un élève ne fait pas attention, ce professeur jette à sa tête un morceau de craie.

— Alors, si tu as beaucoup de craie, c'est que tu ne fais pas attention ?

— Ah non, maman ! Je trouve la craie sur le plancher après la classe. Voilà ! »

Madame Bonnet regarde son fils un instant:
« J'espère, dit-elle, que tu dis la vérité.»

VOCABULAIRE

l'argent (*m.*), *the money*
le canif, *the penknife*
le désordre, *the disorder*
les devoirs (*m.*), *the homework*
le morceau, *the bit, piece*
le mouchoir, *the handkerchief*
un œuf, *an egg*
le pantalon, *the trousers*
le veston, *the jacket*

acheter, *to buy*
appeler, *to call*
commencer, *to begin*
crier, *to shout, call out*
envoyer, *to send*
jeter, *to throw*
lever, *to raise*
manger, *to eat*
quitter, *to leave*
viens ! *come!*

la balle, *the ball*
la craie, *the chalk*
la douzaine, *the dozen*
une heure, *an hour*
la main, *the hand*
la vérité, *the truth*

assis, *seated, sitting*
mauvais, *bad*
sale, *dirty, filthy*
stupide, *stupid*
avant, *before* (of time)
entre, *between*

combien? *how much? how many?*
comment ! *what!*
voilà ! *there you are!*
faire attention, *to pay attention*

EXERCICES

I. Conjuguez:

Je jette ma balle.
J'achète mes œufs.
J'envoie cet argent.

Je mange ces bonbons.
Je commence mon travail.

II. *Exemple:* je parle, vous parlez, ils parlent.

Give the same forms of: lever, appeler, répéter, employer; dire, faire, aller, être, avoir, ouvrir.

III. Replace the indefinite article by **ce, cet, cette** or **ces**:

un vieux monsieur; un épicier; des chapeaux verts; une vieille dame; un ami; un canif; des animaux; une bonne bicyclette; un veston; des bois; une robe blanche; un homme; un beau magasin; une grosse voiture; des vaches; un soir; une heure; des repas; un mois; une école; un sac; des femmes; un œuf; un mouchoir; des chaussettes bleues; une longue lettre; un mur; une belle rivière; des élèves; un instant.

IV. Put into the plural:

1. C'est un cheval. 2. C'est leur fils. 3. C'est une histoire amusante. 4. C'est une voiture américaine. 5. C'est votre ami. 6. C'est un canard. 7. C'est un oiseau jaune. 8. C'est votre fille.

V. Questions:

1. Combien de mains avez-vous? Combien de pieds? 2. Combien de chaussettes (de bas) portez-vous? 3. Combien avez-vous de cheveux? 4. Combien d'élèves y a-t-il dans cette classe? 5. Combien y a-t-il de professeurs dans cette école? 6. Combien avez-vous de poches? 7. Combien de chambres y a-t-il dans votre maison? 8. Combien d'heures y a-t-il en (*in*) un jour? 9. Combien de mois y a-t-il dans l'année (*year*)? 10. Combien de jours ce mois a-t-il?

VI. Read out these numbers in French:

15, 16, 21, 28, 31, 37, 41, 51, 53, 59, 60, 61, 68, 70, 71, 75, 79, 80.

Express the following dates in French:

11.vii	8.ix	28.viii
16.iv	31.i	12.ii
21.xii	1.v	15.vi
25.iii	13.xi	17.x

VII. Questions:

1. Faites-vous toujours vos devoirs? 2. Où faites-vous vos devoirs? 3. En classe, est-ce que vous faites toujours attention? 4. Le professeur est-il content quand un élève mange des bonbons en classe? 5. Est-ce que vous avez beaucoup d'argent? 6. Dans votre chambre, est-ce souvent le désordre? 7. Votre mère aime-t-elle le désordre? 8. Aimez-vous aller à l'épicerie pour votre mère? 9. Claude est-il un bon garçon? 10. Est-ce que vous dites toujours la vérité?

VIII. Translate into French:

1. We eat. 2. Let us begin. 3. Repeat the question, please. 4. Very well, I repeat the question. 5. Do not buy those eggs. 6. He is throwing (some) pieces of chalk. 7. Don't throw that ball! 8. The mother is calling her children. 9. Call those boys! 10. He sends the money. 11. I like that hat and that frock, but I don't like those shoes. 12. Look at this bird in this cage! 13. Who are those boys?—They are Marie's brothers. 14. Here are some books; they are Bonnet's books. 15. How much (of) money? How many (of) presents?

LEÇON ONZE

GRAMMAR

(*a*) The Present Tense of **finir**, *to finish*

je finis	est-ce que je finis?
tu finis	{ est-ce que tu finis?
il finit	{ finis-tu?
nous finissons	{ est-ce qu'il finit?
vous finissez	{ finit-il?
ils finissent	etc.

Quite a number of verbs are conjugated like **finir**, *e.g.*
choisir, *to choose*, **remplir**, *to fill*. As a point of interest,
the French counterparts of many English verbs ending in
-*ish* (punish, furnish, perish, demolish, etc.) are all verbs of
the **finir** type.

(*b*) **The Partitive Article** (=*some*)

MASC. SING.:	**du** pain	*some bread*
FEM. SING.:	**de la** viande	*some meat*
Before a vowel:	**de l'**eau	*some water*
M. and F. PL.:	**des** œufs	*some eggs*
	des pommes	*some apples*

In questions these forms may mean "any":

Avez-vous de l'argent? *Have you any money?*
A-t-elle des œufs? *Has she any eggs?*

In English "some" is often omitted, but in French the
partitive article is always put in:

J'achète du beurre. *I am buying butter.*
Nous mangeons des poires. *We are eating pears.*

(*c*) The Partitive Article reduced to **de**.

1. After a negative, instead of the full Partitive Article (du, de la, etc.) we use just **de**:

J'ai du pain.	Je n'ai pas de pain.
Il y a de la salade.	Il n'y a pas de salade.
Elle a de l'argent.	Elle n'a pas d'argent.
J'ai des livres.	Je n'ai pas de livres.

Note that "pas de" also translates "not a":

Je n'ai pas de chapeau.   *I haven't a hat.*
Nous n'avons pas de chien. *We haven't a dog.*

2. When, in the plural, an adjective stands before the noun, we use **de**, not **des**:

des magasins	de grands magasins
des maisons	de belles maisons
des villes	d'autres villes

⚹ (*d*) **Numbers 80–100.**

80	quatre-vingts	90	quatre-vingt-dix
81	quatre-vingt-un	91	quatre-vingt-onze
82	quatre-vingt-deux	92	quatre-vingt-douze
85	quatre-vingt-cinq	99	quatre-vingt-dix-neuf
89	quatre-vingt-neuf	100	cent

LECTURE

LES TROIS ANGLAIS

Dans le petit restaurant, trois jeunes hommes sont à table. Ils causent. Écoutons. Parlent-ils français? Non, ils ne parlent pas français, ils parlent anglais. Ce sont des Anglais en voyage.

Madame Potèle arrive. Elle donne la carte à un de ces jeunes hommes, elle dit :

« Choisissez, messieurs, s'il vous plaît. ... Voici du pain. ... »

Les Anglais regardent le menu. Enfin ils appellent madame Potèle. Un des jeunes hommes place un doigt sur la carte :

« Ici, madame, demande-t-il, qu'est-ce que c'est? ... *Soup?*

— Oui, monsieur, oui, monsieur, c'est du potage. . . .
Alors, trois potages . . . un, deux, trois?

— Oui, oui, madame.»

Puis le jeune homme demande:

« Et ici, madame, qu'est-ce que c'est?

— C'est de la viande, monsieur. Il y a du mouton
. . . *bâa, bâa.* . . . Compris?

— Ah oui, *mutton!*

— Puis il y a du bœuf . . . *meuh, meuh.* . . . Compris?

— Ah oui, madame, *beef.* . . . *Pork*, non?

— *Pork?* Qu'est-ce que c'est? . . . Ah, du porc ! Ah
non, messieurs, je n'ai pas de porc aujourd'hui . . . mais
il y a du veau . . . veau . . . le petit de la vache . . . *mê,
mê.* . . . Compris?

— Ah oui, *veal.*

— Alors, qu'est-ce que vous choisissez, messieurs?
Du veau? C'est très bon.

— Oui, du veau, madame.

— Vous désirez des légumes? Des pommes de terre,
des haricots?

— Oui, madame, des pommes de terre et des
haricots.

— Et après, vous désirez peut-être de la salade?

— Oui, madame, de la salade.

— Et des fruits? Nous avons des bananes, des
poires. . . .

— Bananes?

— Oui, des bananes . . . c'est un long fruit jaune. . . .
Compris?

— Ah, *bananas!* Non, nous n'aimons pas les bananes.
Avez-vous des pommes?

— Ah non, monsieur, nous n'avons pas de pommes.
. . . Alors, trois poires, trois belles poires?

— Oui, de grosses poires, s'il vous plaît.

— Vous désirez du vin?... Du vin rouge ou du vin blanc?

— Du vin rouge, s'il vous plaît.»

Madame Potèle appelle son mari:

« Aristide! apporte du vin rouge pour ces messieurs ... et de l'eau! »

Aristide arrive avec une bouteille. Il verse du vin dans les verres. Il ne remplit pas les verres.

Les jeunes Anglais mangent bien. Enfin ils finissent leur repas, ils payent.

« Merci beaucoup, madame. Au revoir, madame.

— Au revoir, messieurs. Bonne promenade! »

VOCABULAIRE

un Anglais, *an Englishman*
le bœuf, *the bullock; beef*
le doigt, *the finger*
le fruit, *the fruit*
le haricot, *the bean*
le légume, *the vegetable*
le mouton, *the sheep; mutton*
le pain, *the bread*
le porc, *the pig; pork*
le potage, *the soup*
le veau, *the calf; veal*
le vin, *the wine*

la banane, *the banana*
la bouteille, *the bottle*
l'eau (*f.*), *the water*
la poire, *the pear*
la pomme, *the apple*
la pomme de terre, *the potato* (*plur.* les pommes de terre)
la salade, *the salad*
la viande, *the meat*

choisir, *to choose*
finir, *to finish*
remplir, *to fill*

apporter, *to bring*
payer, *to pay*
placer, *to place*
verser, *to pour* (*out*)

compris? *understood?*
en voyage, *on a journey, on their travels*

EXERCICES

I. Conjuguez:

Je remplis mon verre.
Je ne finis pas mes devoirs.
Est-ce que je choisis une carte?

II. Replace the definite article by the partitive article
(**du, de la, de l'** or **des**):

La salade; le vin; les fruits; le café; les pommes de
terre; le pain; le veau; les œufs; l'eau; le potage; les
verres; l'argent; le beurre; la craie; les lettres; le sucre;
la viande; les bouteilles; le bois; les couteaux.

III. Put into the negative:

1. Elle mange de la viande. 2. J'ai un stylo.
3. Avons-nous du sucre? 4. Le facteur apporte des
lettres. 5. Le professeur a de la craie. 6. Je porte un
chapeau. 7. Mon oncle a des chevaux. 8. Il y a de
l'eau. 9. Nous avons du bois. 10. Posez des questions.
11. J'ai un chat. 12. Donnons de l'argent à cet enfant.
13. Y a-t-il du beurre? 14. Mangez-vous de la salade?
15. J'achète du pain.

IV. Insert **des** or **de**, as the case requires:

1. — souliers; — jolis souliers. 2. — jours; — mauvais jours. 3. — jeunes élèves; — élèves. 4. — magasins; — grands magasins. 5. — beaux enfants; —
enfants. 6. — rivières; — belles rivières. 7. — bons
amis; — amis. 8. — gros chiens; — chiens. 9. —
morceaux; — petits morceaux. 10. — autres chambres; — chambres. 11. — voitures; — vieilles voitures.
12. — longues rues; — rues.

V. Questions:

1. Qu'est-ce que vous faites dans un restaurant?
2. Dans un restaurant il y a presque toujours, sur les tables, une carte. Qu'est-ce que c'est? 3. Y a-t-il de bons restaurants dans cette ville? 4. Est-ce que vous déjeunez à l'école? 5. Que mangez-vous au déjeuner? 6. Mangez-vous quelquefois du bœuf? 7. Y a-t-il une différence entre: « Je mange du bœuf » et « Je mange un bœuf »? 8. Les Anglais mangent-ils beaucoup de pain? Et les Français? 9. Aimez-vous manger de grosses poires? 10. Où votre mère achète-t-elle du sucre et du beurre? 11. Avez-vous du vin à la maison? 12. Avez-vous de l'argent dans votre poche? 13. Qu'est-ce qu'il y a dans une rivière? 14. En ce moment, parlez-vous français ou anglais?

✱VI. (*See p.* 75) Translate in French:

1. Monday morning; Wednesday evening; Saturday afternoon. 2. What are you going to do (on) Friday? 3. My parents arrive (on) Thursday evening. 4. What does he do (in) the morning? 5. Do you work a lot (in) the evening?

VII. Read out these numbers in French:

61, 66, 68, 70, 71, 75, 79, 80, 81, 84, 87, 90, 91, 95, 98, 100.

VIII. Translate into French:

1. I choose; you choose; they choose. 2. He finishes; we finish; the classes finish. 3. I fill my pocket; we fill our pockets. 4. Some meat, some vegetables, some wine, some water. 5. Have you any money? 6. Are there any eggs? 7. I am going to buy (some) bread,

(some) meat and (some) potatoes. 8. On that table there are no glasses and there is no wine. 9. That pupil hasn't a book. 10. In this town we have some fine shops and some good restaurants.

IX. *Composition française.*

« Je déjeune dans un restaurant français.»

Recount your conversation with the waiter (le garçon) and say what you eat.

LEÇON DOUZE

GRAMMAR

(a) The Irregular Verbs **lire, écrire**

Lire, *to read*	**Écrire,** *to write*
je lis	j'écris
tu lis	tu écris
il lit	il écrit
nous lisons	nous écrivons
vous lisez	vous écrivez
ils lisent	ils écrivent

INTERROGATIVE   INTERROGATIVE

est-ce que je lis?   est-ce que j'écris?

⎰ est-ce que tu lis?   ⎰ est-ce que tu écris?
⎱ lis-tu?   ⎱ écris-tu?

     etc.   etc.

(b) The Interrogative Adjective

MASC. SING.	**quel** journal?	*which (what) newspaper?*
FEM. SING.	**quelle** rue?	*which (what) street?*
MASC. PLUR.	**quels** livres?	*which (what) books?*
FEM. PLUR.	**quelles** chaises?	*which (what) chairs?*

Other examples:

Quel est ce paquet? *What is this parcel?*
Quelle est cette carte? *What is this card?*
Quelle jolie robe! *What a pretty frock!*

(c) **Les quatre saisons** (f.)

All four are masculine:

le printemps, *spring*	au printemps, *in spring*
l'été, *summer*	en été, *in summer*
l'automne, *autumn*	en automne, *in autumn*
l'hiver, *winter*	en hiver, *in winter*

(d) **Le temps qu'il fait** (*the weather*)

Quel temps fait-il?	*What is the weather like?*
Il fait chaud	*It (the weather) is warm.*
Il fait très chaud.	*It (the weather) is hot.*
Il fait froid.	*It (the weather) is cold.*
Il fait beau (temps).	*It (the weather) is fine.*
Il fait mauvais temps.	*It (the weather) is bad.*
Il pleut.	*It rains (is raining).*
Il neige.	*It snows (is snowing).*

(e) **Age**

Quel âge avez-vous?—J'ai quatorze ans.
How old are you?—I am fourteen.

Expressions descriptive of personal state:

J'ai chaud	*I am warm.*
J'ai froid.	*I am cold.*
J'ai soif.	*I am thirsty* (la soif = *thirst*).
J'ai faim.	*I am hungry* (la faïm = *hunger*).
J'ai peur.	*I am afraid* (la peur = *fear*).
J'ai besoin de ...	*I have need of, I need* (le besoin = *need*).

Note

To say that *a thing* is warm or cold, one uses *être*:

L'eau est froide.

Ce potage est très chaud.

LECTURE

Dans le Train

C'est l'été.   Il fait beau.   Dans le train les voyageurs ont chaud.

Voici un compartiment où il y a trois voyageurs: un gros monsieur, une jeune fille et un jeune homme. Quel âge ont ces voyageurs?   Le monsieur a peut-être soixante ans; le jeune homme a dix-neuf ou vingt ans. Et la jeune fille, quel âge a-t-elle?   Eh bien, entre nous, je pense qu'elle a dix-sept ans.   C'est une jolie fille.

Que font ces voyageurs?   La jeune fille regarde par la fenêtre du compartiment.   Le gros monsieur lit son journal.   Le jeune homme lit un livre; avec un crayon il écrit des notes sur les pages du livre.

Enfin le monsieur pose son journal, il dit à la jeune fille:

«Alors, mademoiselle, vous allez à Londres?   Quelle ville!   J'aime l'Angleterre, seulement elle a besoin d'un toit.

— Comment! un toit?   Pourquoi l'Angleterre a-t-elle besoin d'un toit?

— Eh bien, parce qu'il pleut toujours.   Au printemps, en été, en automne, en hiver, il pleut, il pleut, mais il pleut!

— Mais non, monsieur!   Il pleut quelquefois, c'est vrai, mais souvent il fait beau, il fait chaud, comme en France.

— Oui, oui, oui, c'est vrai, c'est vrai!»

Puis le monsieur ouvre sa valise, il dit aux jeunes voyageurs:

«Avez-vous faim?   J'ai du pain, du saucisson, du fromage, des fruits . . . et du vin.

— Merci, dit la jeune fille, je n'ai pas faim.»

Mais le jeune homme accepte une pomme.   Il a soif: il accepte aussi un verre de vin.

Le gros homme finit son repas, il lit encore son journal, mais enfin il ferme les yeux, le journal tombe de sa main. Tout à coup, le contrôleur ouvre la porte du compartiment:

« Vos billets, messieurs, s'il vous plaît ! » dit-il.

La jeune fille donne son billet, le jeune homme aussi. Le contrôleur regarde le vieux monsieur:

« Monsieur, dit-il, votre billet ! »

Le gros homme lève la tête, il ouvre lentement les yeux:

« Hein ? hein ? dit-il, qu'est-ce que c'est?

— Votre billet !

— Pardon?

— Votre billet!»

Le monsieur cherche dans ses poches, il donne un billet.

« Non, monsieur, dit le contrôleur, c'est un vieux billet. Regardez la date!»

Le gros homme donne un autre billet:

« Quel est ce billet? demande le contrôleur. Mais c'est un billet d'autobus!»

Le monsieur donne un troisième billet:

« Mais regardez, monsieur, dit le contrôleur, furieux, c'est encore un billet d'autobus!»

Le voyageur donne un quatrième billet:

« Paris? Ce billet est bon.»

Furieux, le contrôleur ferme la porte du compartiment. Le gros monsieur regarde les deux jeunes voyageurs; il dit:

« Je n'aime pas un contrôleur qui dit: Votre billet! J'aime un contrôleur poli qui dit: Votre billet, monsieur, s'il vous plaît.»

VOCABULAIRE

un autobus, *a 'bus*
le billet, *the ticket*
le compartiment, *the compartiment*
le contrôleur, *ticket inspector*
le fromage, *the cheese*
le journal (*pl.* -aux), *the newspaper*
un œil (*pl.* des yeux), *an eye*
le saucisson, *the dinner sausage*
le toit, *the roof*
le train, *the train*
le voyageur, *the passenger*

la page, *the page*
la valise, *the suitcase*
l'Angleterre (*f.*), *England*
la France, *France*
Londres, *London*

furieux (*f.* -euse), *furious*
poli, *polite*
vrai, *true*
troisième, *third*
quatrième, *fourth*

seulement, *only*

écrire, *to write*
lire, *to read*
accepter, *to accept*
poser, *to put (down)*
tomber, *to fall*

comme, *as, like*
par, *through, by*
hein? *eh?*
Pardon! *I beg your pardon!*
Excuse me!

EXERCICES

I. Conjuguez:

Je lis mon journal.
Est-ce que je lis cette lettre?
J'écris à mes parents.
Je n'écris pas souvent à ma tante.

II. Insert the required form: **quel, quels, quelle** or **quelles**:

1. — livre lisez-vous? 2. Dans — classe êtes-vous?
3. — devoirs avons-nous ce soir? 4. — chambres
choisissez-vous? 5. De — homme parlez-vous? 6. —
viande allons-nous manger? 7. — fruits y a-t-il?
8. — assiettes apportes-tu? 9. — est ce cahier?
10. — est cette lettre? 11. — sont ces animaux?
12. — sont ces valises? 13. — famille! — enfants!
14. — pantalon! — chaussettes!

III. Questions:

1. Quel pays (*country*) habitez-vous? 2. Quelle ville
habitez-vous? 3. Quelle est cette école? 4. Quelle
est cette classe? 5. Quel travail faites-vous en ce
moment? 6. Quel livre lisez-vous dans cette classe?
7. De quelle couleur est votre cahier? 8. Quel est
l'élève qui est devant vous? 9. Quel journal votre
père lit-il? 10. Quel repas aimez-vous? 11. Quelle

viande aimez-vous manger? 12. Quels animaux y a-t-il dans une ferme?

IV. Questions:

1. Lisez-vous beaucoup de livres? 2. Est-ce que vous lisez quelquefois le journal? 3. Écrivez-vous beaucoup de lettres? A qui écrivez-vous? 4. Quand vous êtes dans le train, que faites-vous? 5. Quand vous faites un long voyage dans le train, que mangez-vous? 6. Qu'est-ce que les voyageurs portent dans leurs valises? 7. Vous avez certainement une valise. Comment est votre valise? 8. Quand le contrôleur entre dans un compartiment, que dit-il aux voyageurs?

V. Questions:

(a) 1. Quel temps fait-il aujourd'hui? 2. Est-ce qu'il pleut en ce moment? 3. Dans notre pays, est-ce qu'il neige beaucoup en hiver? 4. Fait-il chaud ici, en été? 5. Quand les messieurs portent-ils leur pardessus? 6. Quelles saisons aimez-vous? 7. La campagne est-elle jolie au printemps? 8. Faites-vous des promenades quand il fait mauvais temps? 9. Aimez-vous rester à la maison quand il fait beau temps?

(b) 1. Quel âge avez-vous? 2. Quel âge a Monsieur votre père? 3. Avez-vous froid dans cette salle? 4. Quand vous êtes au lit, avez-vous chaud? 5. Avez-vous soif en ce moment? 6. Que faites-vous quand vous avez faim? 7. Avez-vous peur des vaches? des taureaux? des chiens? 8. Avez-vous besoin d'argent?

VI. Translate into French:

1. What are you reading?—I am reading an amusing book. 2. What are you writing?—I am writing a

letter to a friend. 3. Which newspaper have you? 4. Which vegetables do you like? 5. Which dress is she going to wear? 6. Which room have we? 7. What are these old shoes? 8. What is that big house? 9. What a fine horse!

VII. Translate into French:

1. What is the weather like today?—It is fine, but it is cold. 2. In spring the weather is warm. 3. It is very hot here in summer. 4. In winter the weather is often bad; it rains and it snows. 5. How old is your brother?—He is sixteen. 6. Are you warm now?—No, I am cold. 7. They are hungry and they are thirsty. 8. We are afraid of the big black bull. 9. You need a glass, sir.

VIII. *Composition française.*

« Voyage dans le train. »

(The other passengers. What you do, read, eat. The weather. What you see out of the window. Arrival of the ticket inspector.)

LEÇON TREIZE

GRAMMAR

(*a*) The Present Tense of **vendre**, *to sell*

je vends	est-ce que je vends?
tu vends	⎰ est-ce que tu vends?
il vend	⎱ vends-tu?
nous vendons	⎰ est-ce qu'il vend?
vous vendez	⎱ vend-il?
ils vendent	etc.

A number of verbs are conjugated like **vendre**, *e.g.* **attendre**, *to await*, **entendre**, *to hear*, **descendre**, *to descend*, **répondre**, *to answer*.

(*b*) **L'heure** (f.), *the hour, the time*

Quelle heure est-il? *What time is it? What is the time?*

On the hour	Il est une heure.
	Il est deux heures, trois heures, etc.
12 *o'clock*	Il est midi (*noon*).
	Il est minuit (*midnight*).
Half past	Il est trois heures et demie.
but:	Il est midi (minuit) et demi.
Quarter past	Il est deux heures et quart.
Quarter to	Il est cinq heures moins le (*or* un) quart.
Minutes past	Il est sept heures dix (cinq, vingt, vingt-cinq, etc.).
Minutes to	Il est dix heures moins cinq (dix, vingt, etc.).

Other Points

1. The signs *a.m.*, *p.m.* are not used in French.

> *At* 8 *a.m.*   A huit heures du matin
> *At* 2 *p.m.*   A deux heures de l'après-midi
> *At* 10 *p.m.* A dix heures du soir

2. In time-tables, public announcements, etc. the French use the "24-hour clock" *e.g.* 16h. 40 (4.40 p.m.); 22h. 20 (10.20 p.m.)

3. Note the use of **vers** (*towards*):

> Vers midi, *towards (or about) twelve o'clock (noon)*.
> Vers 9 heures du soir.   (*At*) *about 9 o'clock in the evening.*

(*c*) Expressions of Quantity

beaucoup, *much, many*: beaucoup de travail; beaucoup de leçons.

combien, *how much, how many*: combien de vin? combien de bouteilles?

> Combien de temps restez-vous?   *How long do you stay?*

un peu, *a little*: un peu de sucre; un peu de lait.

trop, *too much, too many*: trop d'argent; trop de cadeaux.

assez, *enough*: assez de viande; assez de légumes.

tant, *so much, so many*: tant de travail; tant d'élèves.

Things like "a bottle of wine" are said in just the same way in French:

> une bouteille de vin, *a bottle of wine*.
> un paquet de cigarettes, *a packet of cigarettes*.
> une boîte de sardines, *a tin of sardines*.
> un kilo de pommes de terre, *a kilo of potatoes*.

> Un kilo(gramme) = about $2\frac{1}{4}$ lbs.
> Une livre ($\frac{1}{2}$ kilo) = about $1\frac{1}{8}$ lbs.
> Un litre   = about $1\frac{3}{4}$ pints
> Un kilomètre   = about $\frac{5}{8}$ of a mile

LECTURE

Jean et Louis vont à la pêche

C'est une belle journée d'été. Sur la place, au centre de la ville, Jean et Louis attendent le car. Où vont-ils? Ils vont à la pêche.

Le car arrive, les deux garçons montent. Au village de Bernay, à vingt-cinq kilomètres de Châlon, ils descendent du car et ils entrent dans une boutique, où ils achètent du pain, un peu de saucisson, du chocolat, des fruits. Puis ils descendent à la rivière qui coule entre les arbres dans les belles prairies vertes.

Aujourd'hui la pêche est bonne: il y a tant de poissons! Jean attrape un joli poisson. Cinq minutes après, Louis attrape un autre poisson. Nos jeunes amis sont heureux.

L'après-midi passe rapidement. Enfin Jean demande:

« Dis donc, Louis, quelle heure est-il? »

Louis regarde sa montre:

« Il est six heures vingt.

— Comment! dit Jean, il est six heures vingt! Mais, Louis, le car est à six heures et demie! Allons! »

Ils arrivent sur la place du village. Il n'y a pas de car. Ils attendent dix minutes: toujours pas de car.

Un monsieur entend les garçons qui parlent du car qui n'arrive pas:

« Est-ce que vous attendez le car, mes enfants? demande-t-il.

— Oui, monsieur.

— Eh bien, il n'y a pas de car ce soir. Où allez-vous?

— A Châlon, monsieur.

— Eh bien, vous avez le train. La gare est là. Il y a un train pour Châlon à sept heures, je pense.

— Merci, monsieur.»

Jean et Louis vont à la gare; ils attendent le train. Quelle heure est-il maintenant? Il est sept heures moins dix.

A sept heures moins cinq, un employé arrive:

« Qu'est-ce que vous faites là? demande-t-il. Quel train attendez-vous?

— Nous attendons le train de sept heures.

— Mais il n'y a pas de train à sept heures du soir! C'est vrai qu'il y a un train à sept heures du matin. . . .»

Qu'est-ce que les garçons vont faire?

« Écoute, dit Jean à son ami, je vais téléphoner à la maison.»

Il téléphone. C'est sa mère qui répond:

« Allô! Ici, madame Poussin. . . . Que dites-vous?

... je n'entends pas bien. ... Ah! c'est Jean! Eh bien, qu'est-ce qu'il y a?

— Je suis avec Louis. Nous sommes à Bernay, maman. Il n'y a pas de car, il n'y a pas de train. Comment allons-nous rentrer à Châlon?

— Ah, tu fais des choses stupides, mon garçon! Eh bien, je vais dire à papa où vous êtes. Dans une demi-heure il va arriver à Bernay avec la voiture.»

Jean est malheureux.

« Qu'est-ce qu'il y a, Jean? demande Louis. Tu n'as pas peur de ton père?

— Non, mais. ...»

VOCABULAIRE

un arbre, *a tree*
le car, *the 'bus* (long distance)
un employé, *a porter*
le poisson, *the fish*
le village, *the village*

la chose, *the thing*
la boutique, (small) *shop*
une demi-heure, *half an hour*
la gare, *the station*
la minute, *the minute*
la pêche, *fishing*
la place, *the square*

attendre, *to await, to wait for*
descendre, *to go* (*come, get*) *down*
entendre, *to hear*
répondre, *to answer*
attraper, *to catch*
couler, *to flow*
passer, *to pass, go by*
rentrer, *to get back, get home*
téléphoner, *to telephone*

heureux (*f.* -euse), *happy*
malheureux (*f.* -euse), *unhappy*

dites (dis) donc! *I say!*
aller à la pêche, *to go fishing*

un peu, *a little*
tant, *so much* (*many*)
rapidement, *quickly*

— Allez-vous à la pêche?
— Non, je vais à la pêche.
— Non, vraiment, vous n'allez pas à la pêche?

EXERCICES

I. Conjuguez:

J'attends mon ami.
Je n'entends pas très bien.
Est-ce que je descends ici?
Est-ce que je ne réponds pas?

II. Quelle heure est-il? — Il est . . .

III. *Exemple:* Quatorze heures trente. — C'est deux
heures et demie de l'après-midi.

1. Quinze heures. 2. Seize heures trente. 3. Dix-
huit heures. 4. Dix-neuf heures quinze. 5. Vingt
heures vingt-cinq. 6. Vingt et une heures dix. 7.
Vingt-deux heures cinquante. 8. Vingt-trois heures
quarante-cinq.

IV. Répondez aux questions:

1. Quelle heure est-il maintenant? 2. A quelle
heure déjeunez-vous le matin? 3. A quelle heure le
facteur passe-t-il? 4. A quelle heure arrivez-vous à
l'école? 5. A quelle heure les classes du matin com-
mencent-elles? Et les classes de l'après-midi? 6. A
quelle heure rentrez-vous à la maison? 7. Que faites-
vous entre six heures et neuf heures du soir? 8. Combien de temps travaillez-vous le soir? 9. Combien de
temps passez-vous à regarder la télévision? 10. Où
êtes-vous généralement à midi? Et à minuit? 11.
Quelle heure est-il à votre montre? 12. Y a-t-il une
pendule dans votre maison? Où est cette pendule
exactement?

V. Répondez aux questions:

1. Quand vous déjeunez à l'école, est-ce que vous
mangez assez de viande, assez de légumes? 2. Mangez-
vous quelquefois un peu de poisson? 3. Les élèves ont-
ils trop de travail, trop de devoirs? 4. Les parents
donnent-ils aux enfants assez d'argent de poche?
5. A Noël (*Christmas*) votre père achète-t-il des bouteilles
de vin? 6. Où achetez-vous des boîtes de sardines?

VI. Insert the full partitive article (**du, de la, de l', des**) or simply **de**, as the case requires:

1. Désirez-vous — fromage? 2. — eau, s'il vous plaît! 3. Il y a — viande, — porc, — veau. 4. Avez-vous — bananes? 5. Nous n'avons pas — beurre. 6. Ne posez pas — questions! 7. Il ne porte pas — fruits. 8. Il y a — beaux arbres. 9. Vous racontez — histoires stupides. 10. J'ai un peu — argent. 11. Y a-t-il assez — verres? 12. Un kilo — sucre, s'il vous plaît.

VII. Translate into French:

1. I do not hear. 2. What is he waiting for? 3. Let us wait for the others. 4. I get out (*descendre*) of my car. 5. He is coming down (*descendre*) the stairs. 6. Don't answer! 7. What time is it, Charles?—It is nearly (*près de*) four o'clock. 8. At what time do they arrive?—About seven in the evening. 9. How long (=*how much time*) are you staying?—Three weeks, perhaps a month. 10. A little salad, madam? 11. You eat too much bread, too many potatoes. 12. We haven't enough money. 13. He does so many stupid things. 14. Bring another bottle of red wine, please!

VIII. *Composition française.*

Une excursion à la campagne.

LEÇON QUATORZE

GRAMMAR

(a) The Irregular Verbs **vouloir, pouvoir, savoir, devoir**

Vouloir, *to wish, to want*

je veux
tu veux
il veut
nous voulons
vous voulez
ils veulent

INTERROGATIVE

est-ce que je veux?
{ est-ce que tu veux?
{ veux-tu?
etc.

Pouvoir, *to be able (I can, I am able, etc.)*

je peux
tu peux
il peut
nous pouvons
vous pouvez
ils peuvent

INTERROGATIVE

{ est-ce que je peux?
{ puis-je? *(may I?)*
{ est-ce que tu peux?
{ peux-tu?
etc.

Savoir, *to know*

je sais
tu sais
il sait
nous savons
vous savez
ils savent

Devoir, *to owe; to have to*

jc dois
tu dois
il doit
nous devons
vous devez
ils doivent

Like **aller**, these verbs may be followed by an infinitive:

Je veux jouer.   *I wish (want) to play.*
Voulez-vous entrer?   *Will you come in?*
Vous pouvez rester.   *You can (may) stay.*
Je sais jouer.   *I can (know how to) play.*

Note that when "I can" means "I know how to" (because I have learnt), one uses *savoir*, not *pouvoir.*

Il doit payer.   *He must (has to) pay.*
Nous devons attendre.   *We must (have to) wait.*

(*b*) **Interrogative Pronouns**

(Most of this is revision, but there are several new forms.)

Who? (subject) is **qui?** or **qui est-ce qui?**
Qui parle?   Qui est-ce qui parle?

Whom? (object) is **qui?** or **qui est-ce que?**
Qui attendez-vous?   Qui est-ce que vous attendez?

Whom? with prepositions is **qui?**
A qui écrivez-vous?   *To whom are you writing?*
Avec qui jouez-vous?   *With whom do you play?*

Note this useful form:

A qui est ce livre? — Il est à Jean.
Whose book is this?—It is John's.

What? (subject) is **qu'est-ce qui?**
Qu'est-ce qui amuse ces garçons?

What? (object) is **que?** or **qu'est-ce que?**
Que dites-vous?   Qu'est-ce que vous dites?

LECTURE

L'Enfant malade

Monsieur Palot frappe à la porte du docteur Guérison. C'est la femme du docteur qui ouvre.

« Madame . . . madame . . .! commence monsieur Palot.

—Eh bien, monsieur, qu'est-ce qu'il y a? Qui cherchez-vous? Qui est-ce que vous voulez voir?

— C'est grave, c'est très grave, madame! dit le pauvre homme. Mon fils ... mon pauvre petit fils ... mon Raoul. ... Écoutez, madame. Je dois parler tout de suite au docteur, je ne peux pas attendre une minute! Voulez-vous dire à votre mari qu'il doit venir à la maison tout de suite?

— Mais, monsieur, en ce moment le docteur est avec un client. Vous devez attendre. Voulez-vous entrer un instant dans cette salle?

— Mais non, madame, si je dois attendre, je vais attendre ici. ... Oh! mon fils, mon petit Raoul! »

Une minute après, le docteur ouvre sa porte, il dit au revoir à son client.

« Oh ! docteur, crie le malheureux père, voulez-vous venir . . .

— Un instant, monsieur, répond le docteur, je dois téléphoner.   Attendez dans l'autre salle, s'il vous plaît.»

Enfin le docteur ouvre sa porte, il appelle monsieur Palot:

« Monsieur, voulez-vous entrer ? . . . Asseyez-vous. . . . Alors, que puis-je faire pour vous ?   Vous êtes malade ?

— Non, docteur, c'est mon fils, mon petit Raoul, il est très malade. . . .

— Quel âge a-t-il ?

— Il a sept ans.

— Est-il souvent malade ?

— Non, c'est un enfant robuste.

— Eh bien, qu'est-ce qu'il a ?

— Je ne sais pas, docteur.   Ce matin il ne peut pas marcher.   Quand il veut marcher, il tombe !   Il veut faire un pas: il tombe !   C'est la paralysie !

— Eh bien, nous allons voir cet enfant, dit le docteur. Une minute, monsieur, je dois chercher mon chapeau et mon pardessus.»

Les deux hommes arrivent à la maison.   Ils montent dans la chambre où sont l'enfant et la pauvre mère.

«Bonjour, madame,» dit le docteur, puis il regarde le petit garçon:

« J'ai l'impression, dit-il après un moment, que cet enfant n'est pas très malade. . . . Allons, mon petit, qu'est-ce que tu as ?   Ton père dit que tu ne peux pas marcher.   C'est vrai ?   Je pense que tu peux marcher si tu veux.   Allons, descends de ton lit.   Maintenant, marche ! marche !   Allons, tu dois essayer !

— Mais, monsieur, dit le petit, je ne peux pas marcher, je ne peux pas !

— Tu vas essayer encore.   Allez, allez ! marche ! . . .»

Puis, tout à coup, le docteur lève les mains, il crie:

« Ah ! mon Dieu, madame, regardez les jambes de cet enfant !   Il a les deux jambes dans la même jambe de sa culotte ! »

VOCABULAIRE

le client, *the customer; the patient*
le docteur, *the doctor*
le moment, *the moment*
le nom, *the name*
le petit, *the boy, child*
la culotte, *the (short) trousers*
la jambe, *the leg*

grave, *serious*
même, *same*
tout de suite, *at once*

devoir, *to owe; to have to*
pouvoir, *to be able*
savoir, *to know*
vouloir, *to wish, want*
arriver, *to arrive; to happen*
essayer, *to try*
perdre (*like* vendre), *to lose*
venir, *to come*
voir, *to see*

allons! *come now!*
allez ! *go on!*
mon Dieu ! *good heavens! gracious me!*
mon petit, *my boy*
Qu'avez-vous ?
Qu'est-ce que vous avez ? } *What is the matter with you?*

EXERCICES

I. Conjuguez:

Je veux parler au docteur.
Je peux attendre.
Je sais jouer.
Je dois rentrer.

II. *Exemple:* Vous voulez entrer. Voulez-vous entrer?
Similarly change into questions:

1. Nous pouvons monter dans le car. 2. Je sais qu'ils vont payer. 3. Je peux téléphoner à mes parents. 4. Il ne sait pas lire. 5. Vous voulez apporter de l'eau. 6. Les élèves peuvent entrer. 7. Tu veux écouter. 8. Nous devons acheter des fruits. 9. Je dois répondre à cette question. 10. Louis sait que je suis ici. 11. Vous pouvez porter cette valise. 12. Il ne peut pas trouver la clef.

III. Répondez aux questions:

1. Voulez-vous ouvrir la porte, s'il vous plaît? 2. Voulez-vous écrire la date au tableau noir? 3. Qu'est-ce que vous voulez faire ce soir? 4. Pouvez-vous demander l'heure en français? Que dites-vous? 5. Pouvez-vous manger un kilo de bonbons? 6. A table, si vous voulez de l'eau, qu'est-ce que vous devez dire? 7. Le soir, s'il pleut, est-ce que vous devez rester

à la maison? 8. Savez-vous monter à bicyclette?
9. Savez-vous faire du potage? 10. Savez-vous attraper des poissons?

IV. Relisez l'histoire de l'enfant malade, puis répondez à ces questions:

1. Pourquoi M. Palot va-t-il à la maison du docteur?
2. Qui est-ce qui ouvre la porte? 3. Quel est le nom
de l'enfant? 4. Quel âge a cet enfant? 5. Pourquoi
M. Palot ne peut-il pas voir le docteur tout de suite?
6. Le docteur dit au revoir à son client, mais pour le
moment il ne veut pas écouter M. Palot. Pourquoi?
7. Le docteur demande à M. Palot: « Qu'est-ce qu'il a,
votre enfant? » Que répond M. Palot? 8. Que font
le père et le docteur quand ils arrivent à la maison?
9. Où est l'enfant quand le docteur entre dans la
chambre? 10. Pourquoi le petit Raoul ne peut-il pas
marcher?

V. *Exemple:* penser: je pense, nous pensons.

Give the same forms of: demander, acheter, appeler,
jeter, manger, commencer, répéter, envoyer, choisir,
entendre, ouvrir, dire, faire, aller, écrire, lire, devoir,
pouvoir, savoir, vouloir.

VI. Répondez aux questions:

1. Qui écoutez-vous en ce moment? 2. Appelez un
autre élève! Qui appelez-vous? 3. Quand vous êtes
malade, qui est-ce que vous devez voir? 4. Quel est le
nom de votre docteur? Comment est-il? Est-ce un
homme aimable? Avez-vous peur du docteur? 5.
Vous devez écrire quelquefois des lettres. A qui
écrivez-vous? 6. Je pose une question à (Henri). A
qui est-ce que je pose la question? 7. Au déjeuner,

avec qui causez-vous? 8. A qui est ce livre? ce stylo?
etc. 9. Voici une règle. La règle tombe sur le pupitre.
Qu'est-ce qui tombe sur le pupitre? 10. Qu'est-ce qui
arrive quand un élève perd son cahier?

VII. Put into the plural:

1. Un animal. 2. Un gros cheval. 3. C'est un
oiseau jaune. 4. Ce journal français. 5. Ce vieux
monsieur. 6. Cet autre client. 7. Cet œil bleu. 8.
Cette vieille dame. 9. Quel est ce livre? 10. Quelle
est cette belle voiture? 11. Sa grosse valise. 12. Une
bouteille de vin.

VIII. Translate into French:

(*a*) 1. We wish to stay. 2. I want to go home.
3. Will you close that window, please? 4. We cannot
do this work. 5. You can choose another bag. 6. May
I come in? 7. They must wait. 8. You must pay at
once. 9. We know that you have (some) money.
10. This child cannot read.

(*b*) 1. Who is going to the station? 2. Whom are
you calling? 3. To whom are you speaking? 4.
Whose bicycle is this?—It is Robert's. 5. What do you
say? 6. What is happening?

LEÇON QUINZE

GRAMMAR

(a) Present Tense of the Irregular Verbs **voir, croire, boire**

Voir, *to see*	**Croire**, *to think, to believe*	**Boire**, *to drink*
je vois	je crois	je bois
tu vois	tu crois	tu bois
il voit	il croit	il boit
nous voyons	nous croyons	nous buvons
vous voyez	vous croyez	vous buvez
ils voient	ils croient	ils boivent

(b) The Pronoun Objects **le, la, les.**

Je vois mon père.	Je **le** vois.	*I see him.*
Je vois ma mère.	Je **la** vois.	*I see her.*
Je vois mes parents.	Je **les** vois.	*I see them.*

Or referring to things:

Je vois mon livre.	Je **le** vois.	*I see it* (m.).
Je vois la maison.	Je **la** vois.	*I see it* (f.).
Je vois les arbres.	Je **les** vois.	*I see them.*

Le and **la** become **l'** before a vowel:

Avez-vous le journal? — Oui, je l'ai.
Avez-vous la clef? — Oui, je l'ai.

These pronoun objects are placed before the verb and always next to the verb:

> Où est Jean? Je ne le vois pas.
> Le voyez-vous? Ne le voyez-vous pas?

Note carefully these examples:

> Allez-vous lire cette lettre? — Oui, je vais la lire.
> Voulez-vous voir mon père? — Oui, je veux le voir.
> Pouvez-vous porter ces valises? — Oui, je peux les porter.

(c) The Adjective **tout**, *all*.

MASC. SING.	**tout**	MASC. PLUR.	**tous**
FEM. SING.	**toute**	FEM. PLUR.	**toutes**

Examples:

Tout le pays	*All the country; the whole country*
Toute la famille	*All the family; the whole family*
Tous les enfants	*All the children*
Toutes les maisons	*All the houses*

Some useful expressions:

Tout le monde	*Everybody*
Tout le temps	*All the time*
Tous les jours (mois, ans)	*Every day (month, year)*
Toutes les semaines	*Every week*
Tous les dimanches	*Every Sunday*

Tout may be used alone with the meaning of *all*, *everything*.

> Je sais tout. *I know all* (*everything*).
> Ils mangent tout. *They eat everything.*

Note the expression **pas du tout**, *not at all*.

LECTURE

« Sais-tu calculer ? »

« Nous dînons tout de suite, dit Mme Bonnet à son mari. Tout est prêt. Veux-tu appeler les enfants ?

— Où sont-ils ? demande M. Bonnet. Je les entends, mais je ne les vois pas.

— Je crois qu'ils sont dans le jardin des Lambert.

— Je les appelle ?

— Bien sûr ! »

M. Bonnet va à la porte, il l'ouvre :

« Marie ! Claude ! Pierre ! appelle-t-il. Venez, mes enfants, le dîner est prêt ; nous allons manger tout de suite.»

Les enfants arrivent, toute la famille passe dans la salle à manger. Ce soir tout le monde a faim, excepté le petit Pierre. D'abord il ne veut pas manger sa viande.

« Pourquoi ne la manges-tu pas ? demande sa mère.

— Parce que je ne l'aime pas ?

— Et tes légumes, tu ne les manges pas ?

— Non, maman, je ne les aime pas.

— Je sais pourquoi tu n'as pas faim, mon petit, dit son père. C'est parce que, l'après-midi, tu manges des bonbons.»

Puis M. Bonnet parle à son grand fils, Claude, qui a quatorze ans :

« Claude, dit-il, tous les soirs, quand j'arrive à la maison, tu es avec les jeunes Lambert. Mais tous les jours tu dois avoir des devoirs. Quand les fais-tu ?

— Je les fais dans l'autobus, papa.

— Comment ! tu les fais dans l'autobus ! Mais ce n'est pas possible ! Tu dois les faire à la maison, tu entends! J'ai l'impression que tu n'es pas sérieux, mon garçon, que tu ne travailles pas assez.... Voyons si tu sais calculer. Écoute ce petit problème. Trois hommes dînent dans un restaurant. Le repas fini, ils demandent l'addition: c'est trente francs. Tu vois, chaque client paye dix francs?

— Oui, papa.

— Eh bien, le patron appelle le garçon, il veut voir l'addition. Il l'examine, il dit au garçon: Il y a une erreur; ce n'est pas trente francs, c'est vingt-cinq francs. Voici cinq francs; rendez cet argent aux clients.... Le garçon glisse deux francs dans sa poche, il rend à chaque client un franc.... Tu vois, Claude?

— Oui, papa, je vois.

— Eh bien, combien chaque client paye-t-il?

— Neuf francs, papa.

— Bon. Trois fois neuf font combien?

— Vingt-huit ... non, vingt-sept.

— Et le garçon garde deux francs. Vingt-sept et deux font combien?

— Vingt-neuf.

— Voilà!... Alors, tu vois la solution du problème?

— Non, papa.»

Marie demande:

«Eh bien, papa, quelle est la solution du problème?

— Ah, mais je ne sais pas!»

VOCABULAIRE

le garçon, *the waiter*
le jardin, *the garden*
le patron, *the proprietor, boss*
l'addition (*f.*), *the total, the bill*

une erreur, *an error, mistake*
la fois, *the time*
une fois, *once*
deux fois, *twice*

croire, *to think, believe*
voir, *to see*
calculer, *to calculate, reckon*
dîner, *to dine, have dinner*

garder, *to keep*
glisser, *to slip*
rendre (*like* vendre), *to render, give back*

chaque, *each*
fini, *finished*
prêt, *ready*
sérieux (*f.* -euse), *serious*

d'abord, *first (of all), at first*
excepté, *except*
bien sûr ! *most certainly! of course!*
venez ! *come!*

EXERCICES

I. Conjuguez:

Je vois mes amis.
Je crois que je vais manger.
Je ne bois pas de vin.
Je veux les voir.
Je dois l'accepter.
Je peux les garder.

II. *Exemple:* Je cherche le journal.   Je le cherche.

1. Je vois le patron.   2. Nous regardons cette jeune fille.   3. Il attend le docteur.   4. Elle aime beaucoup sa tante.   5. J'entends les élèves. 6. Il ferme son pupitre.   7. Elle perd sa montre.   8. Nous apportons l'argent.   9. J'écris ma lettre.   10. Ils remplissent leurs poches.   11. Il va fermer le magasin.   12. Nous voulons vendre la maison.

III. *Exemple:* Je le vois.   Je ne le vois pas.

Put into the negative:

1. Je le trouve.   2. Il la mange.   3. Vous l'écoutez.

4. Nous les achetons.   5. Tu le bois.   6. Ils la vendent.
7. Il les attrape.   8. Je vais le perdre.   9. Nous pouvons les porter.   10. Ils veulent l'attendre.   11. Il doit les quitter.   12. Je sais le faire.

IV. *Exemple:* Vous le voyez. $\left\{\begin{array}{l}\text{Le voyez-vous?}\\ \text{Est-ce que vous le}\\ \quad\text{voyez?}\end{array}\right.$

Change into questions:

1. Tu le trouves.   2. Je l'achète.   3. Il la cherche.
4. Vous les attrapez.   5. Elle ne l'aime pas.   6. Nous ne les attendons pas.   7. Tu ne la lis pas.   8. Ils ne le savent pas.

V. In your answers use a pronoun object (**le, la, l'** or **les**):

1. Écoutez-vous le professeur?   2. Voyez-vous le tableau noir?   3. Est-ce que vous regardez souvent la pendule?   4. Aimez-vous cette école?   5. Où faites-vous vos devoirs?   6. Avez-vous votre stylo?   7. Où gardez-vous vos livres?   8. Ouvrez-vous les fenêtres de votre chambre?   9. A quelle heure quittez-vous la maison le matin?   10. Lisez-vous les journaux?   11. Où votre père achète-t-il son journal?

✗ VI. Put in the required form, **tout, tous, toute** or **toutes**:

1. — les instants.   2. — la semaine.   3. — les choses.   4. — le pays.   5. — les bouteilles.   6. — l'hiver.   7. — les animaux.   8. — la France.   9. — les marchands.   10. — le monde.   11. — la saison.
12. — les familles.   13. — le village.   14. — les voyageurs.   15. — la nuit.

VII. Répondez aux questions:

1. Tous les élèves sont-ils intelligents? 2. Est-ce que vous travaillez tout le temps? 3. Y a-t-il des hommes qui travaillent toute la nuit? 4. Dites-vous bonjour à tout le monde? 5. Avez-vous une leçon de français tous les jours? 6. Regardez-vous la télévision tous les soirs? 7. Allez-vous au cinéma toutes les semaines? 8. Déjeunez-vous à la maison tous les dimanches? 9. Dans un train, tous les voyageurs doivent-ils avoir un billet? 10. Il y a des hommes qui croient qu'ils savent tout. Ces hommes sont-ils intelligents?

VIII. Traduisez en français:

(*a*) 1. Let us drink some water. 2. I think that it is raining. 3. Don't you see those fish? 4. I am looking at him. 5. We are looking for her. 6. You don't like him. 7. I do not hear them. 8. He has a newspaper but he is not reading it. 9. Are you writing that letter?—Yes, I am writing it. 10. He buys a pear and eats it. 11. Is she bringing the glasses?—Yes, she is bringing them. 12. Do I keep the keys?—Yes, you can keep them.

(*b*) 1. All the summer. 2. The whole country. 3. The whole family. 4. All the restaurants. 5. All the streets. 6. Everybody is tired. 7. You work all the time. 8. He goes to Paris every month. 9. We see them every week. 10. I think that he knows everything.

LEÇON SEIZE

GRAMMAR

(*a*) The Irregular Verbs **venir** and **tenir**

Venir, *to come*	**Tenir**, *to hold*
je viens	je tiens
tu viens	tu tiens
il vient	il tient
nous venons	nous tenons
vous venez	vous tenez
ils viennent	ils tiennent

Revenir, *to come back*, is conjugated like **venir**.

(*b*) The Pronouns **lui, leur** (indirect object)

lui = *to him* or *to her*; **leur** = *to them*.

Examples:

J'écris à mon ami.	Je lui écris.
J'écris à ma tante.	Je lui écris.
J'écris à mes parents.	Je leur écris.

We have now dealt with the third person pronouns: **le, la, les** (direct object), **lui, leur** (indirect object). The following first and second person pronouns serve for both direct and indirect object:

me (**m'** before a vowel) = *me* or *to me*.
te (**t'** before a vowel) = *you* or *to you* (fam.).
nous = *us* or *to us*.
vous = *you* or *to you*.

Examples:

Il me voit. *He sees me.*
Il m'écrit. *He writes to me.*
Il vous voit. *He sees you.*
Il nous écrit. *He writes to us.*

(*c*) **Chez,** *at* (or *to*) *the house of.*

Chez mon oncle. *At* (or *to*) *my uncle's* (*house*).
Je vais chez un ami. *I am going to a friend's house.*

Chez may refer to shops or firms:

Nous allons chez le boucher. *We are going to the butcher's.*
Il travaille chez Michelin. *He works at Michelins.*

(*d*) **Ordinal Numbers**

1st	{	premier première	6th 8th	sixième huitième
2nd	{	deuxième second(e)	9th 10th	neuvième dixième
3rd		troisième	15th	quinzième
4th		quatrième	20th	vingtième
5th		cinquième	21st	vingt et unième

Note the short way of writing ordinal numbers in French:

le 1er mars = le premier mars.
3e = troisième; 7e = septième; 16e = seizième, etc.

LECTURE

LA QUESTION DE L'ARGENT

De sa fenêtre, dans sa grande maison, le vieux M. Boncour voit la petite maison du jardinier. Il voit le jardinier et sa jeune femme qui travaillent; il voit leurs quatre enfants qui jouent. C'est une famille pauvre, mais c'est une famille heureuse.

M. Boncour est très, très riche, mais ce n'est pas un homme heureux. Il est vieux, il est malade; la nuit, il ne peut pas dormir. Et puis il n'a pas de femme, il n'a pas d'enfants. C'est pourquoi il aime beaucoup les enfants du jardinier. Il leur parle souvent; quelquefois il leur fait de petits cadeaux.

Un jour, M. Boncour appelle sa vieille bonne:

« Thérèse, lui dit-il, va chez le jardinier. Tu vas lui dire que je désire lui parler.»

Un quart d'heure après, le jardinier vient chez M. Boncour. Il tient à la main un joli bouquet de fleurs:

« Bonjour, monsieur, dit-il, je vous apporte des fleurs. Je crois que vous aimez les fleurs.

— Oh oui, je les aime beaucoup. Merci, mon ami. . . . Asseyez-vous, je désire vous parler. . . . Eh bien, vous devez savoir que je suis assez riche. Vous savez aussi que je n'ai pas d'enfants. Je suis vieux, je n'ai pas besoin de tout cet argent. Je veux vous faire un cadeau . . . mais un cadeau considérable; je veux vous donner dix mille francs.»

L'homme pauvre proteste, mais enfin il accepte cet argent, il rentre à la maison.   Il donne cent francs à sa femme et il cache le reste de l'argent dans une vieille boîte.

Le jardinier est-il heureux, maintenant qu'il a tant d'argent?   Mais non, il est malheureux, cet homme! Il a toujours peur des voleurs.   Comme M. Boncour, il ne peut pas dormir.   Au milieu de la nuit, si un chat fait du bruit, il croit que le chat vole l'argent!

Un matin, le jardinier dit à sa femme:

«Ah, mon amie, je suis malheureux, malheureux! Je suis maintenant comme monsieur Boncour; je suis malade; la nuit, je ne peux pas dormir.   Je vais rendre son argent à ce monsieur; je ne veux pas le garder.

— Que dis-tu là? lui répond sa femme.   Tu es stupide, tu sais.   Tu ne veux pas garder cet argent? Eh bien, nous allons le dépenser! »

VOCABULAIRE

le bouquet, *the bunch* (*of flowers*)	venir, *to come*
	tenir, *to hold*
le bruit, *the noise, sound*	dormir, *to sleep*
le jardinier, *the gardener*	cacher, *to hide, conceal*
un quart d'heure, *a quarter of an hour*	dépenser, *to spend*
	voler, *to steal*
le reste, *the rest*	
le voleur, *the thief, robber*	

la bonne, *the* (*house-*)*maid*	chez, *at* (*to*) *the house of*
la fleur, *the flower*	au milieu de, *in the middle of*
mille, (*a*) *thousand*	comme, *as, like*
	à la main, *in his* (*my, your, etc.*) *hand*

EXERCICES

I. Conjuguez:

> Je viens tout de suite.
> Je ne viens pas en ville tous les jours.
> Je tiens mon chapeau à la main.

II. Replace the words in italics by **lui** or **leur**:

1. Je donne cette pomme *à François*. 2. Le voyageur montre son billet *au contrôleur*. 3. Nous devons trente francs *à madame Bayard*. 4. Il dit *à sa mère* qu'il a faim. 5. Je pose des questions *aux élèves*. 6. Nous envoyons des cartes *à nos amis*. 7. Je vais écrire *à mon oncle*. 8. Voulez-vous parler *à madame Fripet*? 9. Vous pouvez téléphoner *à cette dame*. 10. Tu dois montrer les chambres *aux clients*.

III. Put into the plural:

1. Je te vois. 2. Il me regarde. 3. Un monsieur te demande. 4. Il m'appelle. 5. Est-ce qu'elle t'attend? 6. Est-ce que tu m'écoutes? 7. Il me pose une question. 8. Je vais te téléphoner. 9. Elle doit m'écrire. 10. Je veux te parler. 11. Il lui écrit. 12. Je lui réponds.

IV. Make negative:

1. Je l'aime. 2. Nous les mangeons. 3. Il la voit. 4. Vous le faites. 5. Il les quitte. 6. Tu me crois. 7. Elle t'entend. 8. Il nous appelle. 9. Je vous laisse ici. 10. Il lui rend son billet. 11. Je leur donne de l'argent. 12. Nous allons les perdre. 13. Vous pouvez le faire. 14. Je veux lui parler.

V. Répondez aux questions:

1. Est-ce que vous pouvez me voir? 2. Quand je parle, est-ce que vous m'entendez? 3. Est-ce que tous les élèves m'écoutent? 4. Si un élève ne fait pas attention, qu'est-ce que je lui dis? 5. Est-ce que je vous pose beaucoup de questions? 6. Me croyez-vous, si je vous dis que j'ai vingt ans? 7. Si vos parents me demandent: « Mon fils (ma fille) travaille-t-il (elle) bien? » qu'est-ce que je dois leur répondre? 8. Vos parents vous donnent-ils de l'argent de poche?

VI. Voici huit pendules.

Quelle heure est-il à la première pendule?
Quelle heure est-il à la deuxième pendule? etc.

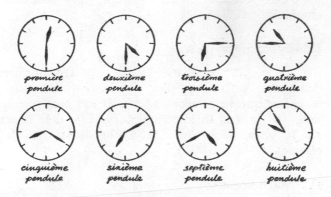

première pendule   deuxième pendule   troisième pendule   quatrième pendule

cinquième pendule   sixième pendule   septième pendule   huitième pendule

VII. Répondez aux questions:

1. Allez-vous quelquefois chez des amis? 2. Avez-vous un oncle? Que faites-vous quand vous allez chez votre oncle? 3. Allez-vous souvent chez le docteur? 4. Qu'est-ce que vous achetez chez le boucher (*butcher*)?

5. Qu'achetez-vous chez le boulanger (*baker*)? 6. Votre mère vous envoie-t-elle quelquefois chez l'épicier? 7. Qu'est-ce que vous allez chercher chez le marchand de légumes? 8. Qu'est-ce qu'ils font chez Ford?

VIII. Traduisez en français:

1. I show (to) him my ticket. 2. Do you write to her? 3. We don't speak to them. 4. You are not listening to me! 5. Will you give me a glass of water, please? 6. I don't believe you. 7. What does he say to you? 8. They are looking for us. 9. He is going to telephone to us. 10. I am going to a friend's house. 11. Let us go to Robert's house. 12. Mother is going to the butcher's. 13. What are you going to buy at the grocer's? 14. His father works at Fords.

LEÇON DIX-SEPT

GRAMMAR

(*a*) The Irregular Verbs **mettre, prendre**

Mettre, *to put*	**Prendre,** *to take*
je mets	je prends
tu mets	tu prends
il met	il prend
nous mettons	nous prenons
vous mettez	vous prenez
ils mettent	ils prennent

Like **prendre** are conjugated **comprendre,** *to under-stand*, **apprendre,** *to learn* or *to teach*.

(*b*) The Relative Pronoun: **qui** (subject), **que** (object).

Je vois mon fils **qui** arrive.
Je vois mes enfants **qui** arrivent.

Voyez-vous la lettre **qui** est sur la table?
Voyez-vous les lettres **qui** sont sur la table?

Thus the relative pronoun **qui** means *who* or *which* used as the subject.

C'est un homme **que** j'aime beaucoup.
C'est un ami **qu'**il voit souvent.
Ce sont des enfants **que** j'aime beaucoup.
C'est un livre **que** je trouve amusant.
Ce sont des livres **que** je trouve amusants.

Thus the relative **que** (**qu'** before a vowel) means *whom* or *which* used as the object.

141

Never omit the relative pronoun, as we often do in English:

Les amis que nous aimons.   *The friends we like.*
La lettre que j'écris.   *The letter I am writing.*

(c) Comparison of Adjectives

Paul est plus grand que Jean.
Paul is taller than John.

L'été est plus agréable que l'hiver.
Summer is more pleasant than winter.

L'hiver est moins agréable que l'été.
{ *Winter is less pleasant than summer.*
{ *Winter is not so pleasant as summer.*

Cette robe est aussi jolie que l'autre.
This frock is as pretty as the other.

"Better" is expressed by one word, *meilleur*, f. *meilleure*:

un meilleur hôtel; de meilleures chambres.

Note that **assez** (*enough*) comes before the adjective:

L'eau n'est pas assez chaude.   *The water is not warm enough.*

(d) Superlative of Adjectives

le plus beau jardin   *the finest (most beautiful) garden*
les plus beaux jardins   *the finest (most beautiful) gardens*
la plus belle maison   *the finest house*
les plus belles maisons   *the finest houses*
sa plus jolie robe   *her prettiest frock*
mes plus vieux souliers   *my oldest shoes*

"The best" is **le meilleur**, f. **la meilleure**:

le meilleur hôtel; les meilleures chambres.

142

Note. "Very" with an adjective may be expressed in three ways:

très agréable
bien agréable } *very pleasant*
fort agréable

LECTURE

LES SOULIERS ET LE COMPLET NEUFS DE JEAN

« Jean, dit madame Poussin, ce matin nous devons aller en ville. Je dois t'acheter un complet neuf et des souliers neufs. Tous les trois ou quatre mois nous devons t'acheter des souliers neufs. Qu'est-ce que tu fais avec tes souliers? Est-ce que tu donnes des coups de pied dans les murs?

— Non, maman, je joue au football dans la cour.

— C'est la même chose. . . . Et puis, regarde ce veston et ce gilet! Ils sont sales, sales! Est-ce que je ne te donne pas une serviette? . . . Viens, mon garçon, mets ton béret et ton imperméable, nous allons prendre l'autobus. »

Ils prennent l'autobus au coin de la rue, ils arrivent en ville. D'abord ils vont au magasin de chaussures.

« Bonjour, madame, bonjour, jeune homme, leur dit le marchand. Vous désirez?

— Des souliers pour mon fils, s'il vous plaît, des souliers noirs. »

Le marchand apporte une paire de souliers. Jean les essaye: ils sont trop petits.

« Je vais vous apporter des souliers qui sont un peu plus grands, » dit le marchand.

Il apporte une deuxième paire. Ces souliers sont plus chers que les premiers. Jean les essaye: ils sont

toujours trop petits. Jean essaye une troisième paire: ces souliers lui vont bien, mais ce sont les plus chers.

«Vous savez, madame, dit le marchand, les plus chers sont toujours les meilleurs; ils durent plus longtemps que les autres.»

Madame Poussin achète ces souliers. Puis la mère et son fils vont à un autre magasin:

«Un complet pour ce jeune homme? Très bien, madame.»

Le marchand regarde Jean, il regarde le complet qu'il porte:

«Évidemment, dit-il, le complet que vous portez maintenant n'est pas assez grand, jeune homme. Je dois vous chercher un complet qui est beaucoup plus grand.

— Oui, dit madame Poussin, mon fils grandit rapidement.

— Quel âge avez-vous, jeune homme? demande le marchand.

— J'ai quatorze ans, monsieur.

— Vous avez le même âge que mon fils, mais vous êtes plus grand.

— Il est presque aussi grand que son père ! dit madame Poussin.

— Je le crois bien, madame ! »

Le marchand apporte un complet. Jean le met. Ce complet est beaucoup trop grand. Ce n'est pas un complet, c'est un sac ! Puis il essaye un complet qui est moins grand. Ce complet est plus cher que l'autre. Ensuite il essaye un troisième complet, et c'est le plus cher. Madame Poussin achète ce complet.

Le soir, à la maison, Jean met son complet et ses souliers neufs. Son père le regarde:

« C'est très bien, dit-il. Mais je vais te dire une chose, mon garçon. Quand tu portes tes habits neufs, ne joue pas au football, ne grimpe pas sur les arbres, ne monte pas à bicyclette, ne mets pas toutes sortes de choses dans tes poches, ne. . . .

— Alors, demande le pauvre Jean, qu'est-ce que je puis faire, papa ? »

VOCABULAIRE

le (costume) complet, *the suit*
le coup, *the blow, stroke*
le coup de pied, *the kick*
le gilet, *the waistcoat*
les habits (*m.*), *the clothes*
un imperméable, *a raincoat, "mac"*
les chaussures (*f.*), *the footwear*
la paire, *the pair*

la serviette, *the serviette*
la sorte, *the sort, kind*

mettre, *to put* (*on*)
prendre, *to take*
durer, *to last*
essayer, *to try* (*on*)
grimper, *to climb*
grandir (*like* finir), *to grow* (*up*)

neuf, *f.* neuve, *new*
sale, *dirty, filthy*
ensuite, *then, afterwards*

évidemment, *evidently, obviously*
longtemps, *long* (adverb)

Ces souliers lui vont bien.   *These shoes suit (fit) him well.*
Je le crois bien !   *I can well believe it!*

EXERCICES

I. Conjuguez:

Je mets mon complet neuf (ma robe neuve).
Je prends mes valises.
J'apprends le français.
Est-ce que je comprends?

II. Put in the required form, **qui** or **que**:

1. Où est le monsieur — attend? 2. Ce sont des choses — arrivent. 3. Quelle est la dame — vous désirez voir? 4. Quel est le livre — tu cherches? 5. Voilà les enfants — rentrent ! 6. C'est un garçon — j'aime beaucoup. 7. J'ai des clients — je dois voir. 8. Quel est ce bruit — j'entends? 9. Que fais-tu des poissons — tu prends? 10. Voici tout l'argent — reste. 11. Ce sont des choses — nous ne comprenons pas. 12. Quels sont les hommes — je vois là?

III. Répondez aux questions:

1. Quels sont les gens (*people*) que vous aimez? 2. Quelles sont les choses que vous aimez manger? 3. Est-ce que je dis des choses que vous ne comprenez pas? 4. Montrez les choses que vous avez dans vos poches. 5. Quel est le journal que vous lisez à la maison? 6. Qui vous donne l'argent que vous

dépensez? 7. Quels sont les bruits que nous entendons dans une ville? 8. Quels sont les animaux que vous voyez dans une ferme?

IV. *Exemple:* grand: plus grand, moins grand, aussi grand.

Do the same with:

joli	intelligent	beau
amusant	riche	bon
poli	gros	long
chaud	cher	heureux

Exemple: Jean est aussi grand que son père.
Jean est plus grand que son père.
Jean est moins grand que son père.

1. Vatard est — stupide que Boudin.
2. Cette rue est — longue que l'autre.
3. Ces gens sont — riches que les Mercier.
4. Madame Boulotte est — grosse que sa sœur.
5. Il fait — chaud qu'ici.

V. *Exemple:* le plus grand   la plus grande
les plus grands   les plus grandes

Do the same with:

beau	jeune	gros
joli	beau	vieux
petit	bon	long

VI. Répondez aux questions:

1. Êtes-vous aussi grand que votre mère? 2. Qui est le plus petit élève de la classe? 3. Qui, dans cette classe, a la plus belle voix? 4. Qui a les plus longs cheveux? 5. Qui est-ce qui a la plus jolie montre?

6. Est-ce que vous portez aujourd'hui vos meilleurs habits? 7. Les filles sont-elles moins intelligentes que les garçons? 8. Les repas que vous prenez à l'école sont-ils meilleurs que les repas que vous prenez à la maison? 9. Votre chambre est-elle moins grande que cette salle de classe? 10. Croyez-vous que nos leçons sont assez longues?

VII. *Exemple:* regarder; il regarde, vous regardez.

Give the same forms of: lever, jeter, envoyer, répéter, remplir, descendre, dire, faire, voir, écrire, lire, devoir, pouvoir, vouloir, savoir, croire, boire, venir.

VIII. Traduisez en français:

1. The pupil who is reading. 2. The things which happen. 3. The man (whom) you see there. 4. The people (whom) we like. 5. The letter (which) you are writing. 6. The things (which) we learn. 7. Their children are younger. 8. His brother is more intelligent. 9. This house is as large as the other. 10. This bag is not so nice (= is less pretty). 11. Your room is better. 12. This bottle is not large enough. 13. The youngest of the boys; the largest window; our oldest chairs; the best restaurants. 14. This story is very amusing.

IX. *Composition française.*

Dans un magasin: conversation avec le marchand.

LEÇON DIX-HUIT

GRAMMAR

(*a*) Present Tense of Reflexive Verbs.

Example: **se cacher,** *to hide oneself.*

je me cache	*I hide myself*
tu te caches	*you hide yourself*
{ il se cache	{ *he hides himself*
{ elle se cache	{ *she hides herself*
nous nous cachons	*we hide ourselves*
vous vous cachez	*you hide yourself* (*-selves*)
{ ils se cachent	{ *they* (m.) *hide themselves*
{ elles se cachent	{ *they* (f.) *hide themselves*

NEGATIVE	INTERROGATIVE
je ne me cache pas	est-ce que je me cache?
tu ne te caches pas	{ est-ce que tu te caches?
il ne se cache pas	{ te caches-tu?
nous ne nous cachons pas	{ est-ce qu'il se cache?
	{ se cache-t-il?
vous ne vous cachez pas	{ est-ce que nous nous
	cachons?
ils ne se cachent pas	{ nous cachons-nous? etc.

The reflexive pronouns **me, te, se** become **m', t', s'** before a vowel: je m'amuse, tu t'amuses, il s'amuse.

(*b*) Some common Reflexive Verbs:

se coucher, *to lay oneself down, to lie down, to go to bed*
se reposer, *to rest* (*oneself*)

se réveiller, *to rouse oneself, to wake up*
se lever, *to raise oneself, to get up*
s'habiller, *to dress (oneself)*
se laver, *to wash (oneself)*
se dépêcher, *to hurry (oneself)*
se promener, *to go for a walk*
se trouver, *to find oneself, to be found (situated)*
s'appeler, *to call oneself, to be called (named)*

Useful expressions:

Comment vous appelez-vous? *What is your name?*
Je m'appelle Roger. *My name is Roger.*

Or:

Quel est votre nom? — Mon nom est Roger.

(*c*) The use of **n'est-ce pas?** *is it not?*

C'est joli, n'est-ce pas?	*It is pretty, isn't it?*
Il joue bien, n'est-ce pas?	*He plays well, doesn't he?*
Nous allons vite, n'est-ce pas?	*We are going fast, aren't we?*
Ils travaillent bien, n'est-ce pas?	*They work well, don't they?*

You see that for all such occasions, the French keep to one set phrase: n'est-ce pas?

(*d*) **Pour** used with the infinitive means "in order to".

Je me lève pour fermer la fenêtre.
I get up (in order) to close the window.

LECTURE

Le jeune Merle

Louis se réveille de bonne heure. Il se lève, il regarde par la fenêtre de sa chambre. Le soleil brille, il fait un temps splendide.

Louis réveille son frère. Paul ouvre les yeux:

« Qu'est-ce qu'il y a, Louis? demande-t-il. Pourquoi me réveilles-tu à cette heure?

— Eh bien, tu sais que ce matin nous allons chercher ce jeune merle.

— Tu peux retrouver le nid? C'est loin?

— C'est dans une haie au bord d'un bois, à quatre ou cinq kilomètres.... Viens, Paul, mais ne faisons pas de bruit; nous ne devons pas réveiller maman et papa.»

Les garçons vont à la salle de bains; ils se lavent, ils reviennent dans leur chambre, ils s'habillent, ils descendent l'escalier sans bruit. Louis va chercher un sac à la cuisine, puis les deux frères prennent leurs bicyclettes, et en route!

Un quart d'heure après, ils arrivent au petit bois. Ils laissent leurs bicyclettes au bord de la route, ils entrent dans le bois plein de fleurs sauvages. Dans la haie, au bord du bois, Louis retrouve le nid, où il y a quatre jeunes merles. Les petits entendent du bruit; ils croient que c'est leur mère qui leur apporte de la nourriture; ils lèvent la tête, ils ouvrent le bec. Louis met la main dans le nid, il prend un des petits merles, qu'il met dans son sac.

Mais à ce moment les deux frères entendent la voix d'un homme qui appelle son chien: ce doit être le fermier. Les garçons se cachent derrière la haie, mais le chien arrive, il les voit, il commence à aboyer.

« Alors, dit le fermier, qu'est-ce que vous faites là, mes enfants ? Pourquoi vous cachez-vous derrière la haie ?

— Nous nous promenons, monsieur, lui répond Louis.

— Ah ! vous vous promenez ? . . . Mais dites, qu'avez-vous dans ce sac que vous tenez à la main ?

— J'ai un oiseau, monsieur, dit Louis, j'ai un jeune merle.

— Un merle ? Mais qu'est-ce que vous allez faire de ce pauvre petit ?

— Nous allons le garder dans une cage.

— Dans une cage ? Mais ce n'est pas bien, vous savez ! . . . Et comment allez-vous le nourrir ?

— Nous allons lui donner du lait et du pain.

— Mais ce n'est pas une nourriture pour les oiseaux ! Seuls, les vieux merles savent nourrir leurs petits. . . . Allez, mon garçon, vous allez remettre ce petit dans son nid avec les autres.»

Louis prend le jeune merle dans son sac, il le remet dans le nid. Puis les deux garçons se sauvent. Ils prennent leurs bicyclettes, ils retournent à la maison. En route ils s'arrêtent pour cueillir des fleurs sauvages.

Quand madame Brugnon voit ces fleurs, elle est contente:

« Ah ! vous vous promenez de bonne heure, mes enfants ! dit-elle. Et vous m'apportez des fleurs ! Elles sont jolies, n'est-ce pas ? »

Mais Louis et Paul ne lui parlent pas du jeune merle; ils ne lui racontent pas leur petite aventure dans le bois.

VOCABULAIRE

le bec, *the beak*	s'arrêter, *to stop*
le fermier, *the farmer*	se cacher, *to hide*
le lait, *the milk*	s'habiller, *to dress*
le merle, *the blackbird*	se laver, *to wash*

le nid, *the nest*
le soleil, *the sun*

une aventure, *an adventure*
la haie, *the hedge*
la nourriture, *the food*
la route, *the road*

plein, *full*
sauvage, *wild*
seul, *only, alone*

au bord de, *at the edge (side) of*
loin, *far, a long way*
sans, *without*
de bonne heure, *early*

se lever, *to get (stand) up*
se promener, *to go (be) out for a walk*
se réveiller, *to wake up*
se sauver, *to run off, decamp*
aboyer, *to bark*
briller, *to shine*
retourner, *to go back*
réveiller, *to waken*
cueillir, *to pick, gather*
nourrir (*like* finir), *to feed*
revenir (*like* venir), *to come back*
remettre (*like* mettre), *to put back*

EXERCICES

I. Conjuguez:

Je me lève de bonne heure.
Je ne m'arrête pas.
Est-ce que je me repose?

II. Put in the reflexive pronoun:

1. Tu — couches. 2. Elle — appelle Pauline.
3. Nous — amusons bien. 4. Jc — dépêche. 5. Il —
promène. 6. Vous — dépêchez. 7. Ils — sauvent.
8. Les enfants — habillent. 9. Nous — couchons.
10. La voiture — arrête.

III. (a) Make negative:

1. Je me lève. 2. Il s'appelle Georges. 3. Vous
vous dépêchez. 4. Tu te reposes. 5. Elles s'amusent.

6. Le train s'arrête ici.   7. Nous nous levons.   8. Ces élèves se dépêchent.

(*b*) Turn into questions:

1. Tu te lèves.   2. Vous vous amusez bien.   3. Elle se repose.   4. Ils se promènent.   5. Je me couche de bonne heure.   6. Nous nous arrêtons.   7. Nos amis s'amusent bien.   8. Cette jeune fille s'appelle Jacqueline.

IV. Répondez aux questions:

1. Comment vous appelez-vous?   2. Comment s'appelle l'élève qui est derrière vous?   3. A quelle heure vous levez-vous le matin?   4. Votre mère se lève-t-elle avant vous?   5. Est-ce que vous vous lavez dans votre chambre?   6. Où vous habillez-vous?   7. A quelle heure vous couchez-vous le soir?   8. A quelle heure vos parents se couchent-ils?   9. Vous amusez-vous bien pendant les vacances?   10. Que faites-vous quand vous êtes très fatigué?   11. Est-ce que les autobus s'arrêtent près de l'école?   12. Où les trains s'arrêtent-ils?

V. Replace the words in italics by pronouns:

1. Il appelle *son fils*.   2. Elle donne du lait *à l'enfant*. 3. Je cherche *mon sac*.   4. Nous ne racontons pas d'histoires *aux clients*.   5. Elle ne peut pas porter *cette valise*.   6. Il écrit de longues lettres *à son ami*.   7. Elle n'envoie pas d'argent *à sa fille*.   8. Nous ne trouvons pas *la clef*.

VI. Relisez l'histoire du jeune merle, puis répondez à ces questions:

1. Pourquoi Louis et Paul se lèvent-ils de bonne heure?   2. Quel temps fait-il?   3. Pourquoi les gar-

çons ne doivent-ils pas faire de bruit? 4. Combien de temps mettent-ils pour aller au bois? 5. Où laissent-ils leurs bicyclettes? 6. Qu'y a-t-il dans le bois? 7. En quelle saison les oiseaux font-ils leur nid? 8. Où se trouve le nid de merles? 9. Décrivez (*describe*) un merle. 10. Combien y a-t-il de petits dans le nid? 11. Que font les petits oiseaux quand les garçons regardent dans le nid? 12. Que font les garçons quand ils entendent le fermier et son chien? 13. Quelles questions le fermier pose-t-il à Louis? Que lui répond Louis? 14. Est-ce que Louis emporte (emporter, *to take away*) le jeune merle? 15. Pourquoi madame Brugnon est-elle contente?

VII. Traduisez en français:

1. We get up early. 2. I go to bed about 9 o'clock. 3. My mother is resting. 4. You are not hurrying. 5. When he wakes up, he gets up at once. 6. The men are strolling on the square. 7. Does the 'bus stop here? 8. What is your name?—My name is Jacques. 9. It is true, isn't it? 10. You want to stay, don't you? 11. We stop to look at the flowers. 12. She crosses the road to go into the butcher's.

VIII. *Composition française.*

Le fermier raconte à sa femme l'histoire du jeune merle.

LEÇON DIX-NEUF

GRAMMAR

(*a*) The use of **si** (=*yes*)

In answer to a negative question or suggestion, "yes" is expressed by **si**, not **oui**:

Tu ne comprends pas? — Si, je comprends.
Ce n'est pas vrai! — Si, c'est vrai.

(*b*) Further negative forms.

Ne ... rien, *nothing:*
Je n'ai rien.   *I have nothing.   I have not anything.*

Ne ... jamais, *never:*
Il n'écrit jamais.   *He never writes.*

Ne ... plus, *no longer, no more:*
Il ne travaille plus.   *He no longer works.   He does not work any more.*

Ne ... que, *only, nothing but:*
Je n'ai que cette petite valise. $\left\{ \begin{array}{l} \textit{I have only this small case.} \\ \textit{I have nothing but this small case.} \end{array} \right.$

Ne ... personne, *nobody:*
Je ne vois personne.   *I see nobody.   I do not see anybody.*

Personne may be the subject and begin the sentence:

Personne ne joue.   *Nobody is playing.*

Used alone, **rien** = *nothing*, **personne** = *nobody*, **jamais** = *never*.

Que dites-vous? — Rien (*nothing*).
Qui est là? — Personne (*nobody*).
Vient-il à la maison? — Jamais (*never*).

(c) Order of Pronoun Objects

When two pronoun objects occur together, a fixed
order is observed. **Le, la** or **les** always goes before **lui**
or **leur**, and any one of these: **me, te, nous, vous**
always goes before **le, la** or **les**. Here is the order
in table form:

me te nous vous	le la les	lui leur

Examples:

Je le leur donne. *I give it to them.*
Je vous les donne. *I give them to you.*

(d) How **demander** is used.

Le monsieur demande à l'enfant: « Comment
t'appelles-tu? »
The gentleman asks the child, "What is your name?"

Il lui demande: « Comment t'appelles-tu? »
He asks him, "What is your name?"

Je leur demande la clef. *I ask them for the key.*

(e) **Quelque**, *some* (indefinite), as in **quelque livre,**
some book, **quelque rue**, *some street*.

Note the very useful **quelque chose**, *something*,
quelque temps, *some time*.

Quelques, the plural, means *some* or *a few*:

Nous voyons quelques amis. *We see a few friends.*
Je reste quelques jours. *I am staying a few days.*

Plusieurs (m. and f.), *several*:

plusieurs hommes; plusieurs femmes; plusieurs jours.

LECTURE

LES OREILLES DE L'ÂNE

C'est la dernière leçon de la journée. Monsieur Charlier est fatigué, il n'est pas de très bonne humeur. Sur sa table se trouvent les cahiers des élèves. Il va distribuer ces cahiers.

« D'abord, dit-il, je n'ai pas votre cahier, Poussin. Où est-il?

— Voici mon cahier, monsieur,» répond Poussin. Il se lève, il porte son cahier au professeur, il le lui donne.

« Je demande votre cahier lundi, lui dit le professeur, et vous me l'apportez mercredi. . . . Je vous donne un zéro.»

Alors M. Charlier distribue les autres cahiers:

« Bonnet, je ne vous donne que deux sur dix. . . . Brugnon, zéro. . . . Catherine Vidal, quatre sur dix. . . . Pouguet, zéro, » etc.

Le professeur regarde sévèrement ses élèves:

« Écoutez bien, toute la classe, dit-il. Ces notes sont très mauvaises. Je suis persuadé que vous ne travaillez plus. Il y a ici plusieurs élèves qui ne comprennent rien du tout. Qu'est-ce que je peux faire? Si je pose une question, personne ne répond! Mais c'est lamentable, mes amis, c'est lamentable! . . . Il y a Poussin, par exemple. Est-ce qu'il essaye de répondre à mes questions? Jamais, jamais! Je suis certain, Poussin, que vous ne savez même pas le mot anglais pour *eau-de-cologne*. . . .

— Si, monsieur, je le sais ! C'est *eau-de-cologne*. Les Anglais disent la même chose.

— Ah ! magnifique ! dit M. Charlier, il sait quelque chose ! . . . Puis il y a Brugnon. Il ne travaille jamais. Que fait-il ? Il grandit, c'est tout ! Quand il ne regarde pas les filles, il regarde par la fenêtre ! . . . Oui, Brugnon, c'est vrai ! Je crois, mon ami, que vous avez la même difficulté que les ânes. . . .

— Les ânes ont des difficultés, monsieur ?

— Vous ne savez donc pas que les ânes ont une petite difficulté d'oreille ? . . . Combien d'oreilles un âne a-t-il ?

— Mais il a deux oreilles, monsieur.

— C'est exact. Et combien avez-vous d'oreilles ?

— Deux, monsieur.

— Exactement comme l'âne ! Mais est-ce que vos deux oreilles entendent toujours la même chose ?

— Mais oui, naturellement, monsieur.

— Ce n'est pas certain. Savez-vous, mon ami, pourquoi les ânes sont si paresseux, pourquoi ils restent tout le temps dans leur coin, pourquoi ils ne regardent personne, pourquoi, quand ils travaillent, ils s'arrêtent à chaque instant ?

— Non, monsieur.

— Eh bien, je vais vous le dire. Quand l'oreille droite de l'âne entend quelque chose, son oreille gauche entend le contraire. Quand une oreille entend *oui*, l'autre entend *non*. Une oreille entend: *à droite*, l'autre entend: *à gauche*! Alors, qu'est-ce que l'âne doit faire ? Il ne sait pas, donc il ne fait rien. Son maître l'appelle: une de ses oreilles entend: *Viens!* l'autre entend: *Reste!* Donc il ne bouge pas, il ne fait rien.

— Monsieur !

— Qu'est-ce que c'est, Poussin ?

— Qu'est-ce qui arrive quand vous dites *carotte* à un âne ?

— Eh bien, son oreille droite entend *carotte*, son oreille gauche entend *sucre*. C'est pourquoi, quand il y a quelque chose à manger, l'âne arrive au galop ! Vous comprenez ? »

VOCABULAIRE

un âne, *a donkey*	la note, *the mark*
les Anglais, *the English*	une oreille, *an ear*
le contraire, *the contrary, opposite*	
le maître, *the master*	dernier (*f.* -ère), *last*
le mot, *the word*	droit, *right*
zéro, *nought*	à droite, *to (on) the right*
	gauche, *left*
	à gauche, *to (on) the left*
la carotte, *the carrot*	magnifique, *magnificent*
la difficulté, *the difficulty*	paresseux (*f.* -euse), *lazy*

persuadé, *persuaded*
plusieurs, *several*

même (adverb), *even*
naturellement, *naturally*, *of course*

distribuer, *to distribute*, *give out*
bouger, *to move*, *budge*

sévèrement, *sternly*
donc, *therefore*, *so*

de bonne humeur, *in a good humour*, *good-tempered*
deux sur dix, *two out of ten*
une difficulté d'oreille, *trouble with hearing*
par exemple, *for example*

EXERCICES

I. Conjuguez:

Je me dépêche.
Je ne m'amuse pas.
Je vais me lever.
Je dois descendre.

II. Faites une réponse affirmative:

1. Votre mère n'est-elle pas à la maison? 2. Votre père n'a pas une voiture? 3. Le facteur ne vous apporte pas de lettres? 4. Ne lisez-vous pas le journal? 5. Le boulanger n'a-t-il pas de pain? 6. N'y a-t-il pas un cinéma dans cette ville? 7. Vous n'aimez pas les chocolats? 8. Vous n'avez pas d'argent? 9. Ne voyez-vous pas bien le tableau noir? 10. Ne travaillez-vous pas aujourd'hui?

III. Make negative:

1. Je cherche quelque chose. 2. Cet homme sait tout. 3. Vous prenez quelque chose? 4. Nous les voyons quelquefois. 5. Il nous téléphone souvent.

6. Mon père rentre toujours avant sept heures.   7. Il y a des gens sur la place.   8. Tout le monde nous regarde. 9. Tout le monde se lève de bonne heure.

IV. Traduisez en français:

1. Doesn't he understand?—Yes, he understands. 2. I buy nothing.   3. You don't say anything.   4. They never come here.   5. You are no longer listening. 6. We don't play any more.   7. I have only twenty francs.   8. We have nothing but this old box.   9. She sees nobody.   10. I am not looking for anybody. 11. Nobody comes.   12. What are you doing?—Nothing.   13. Who is waiting?—Nobody.   14. Does she write to you?—Never.

V. Replace the words in italics by pronouns:

1. Il vous donne *ce canif*.   2. Elle nous montre *ses souliers neufs*.   3. Nous allons te raconter *cette histoire*. 4. Il me laisse *la clef*.   5. Je porte *les journaux à mon père*.   6. Je vais envoyer *cette carte à mes parents*.   7. Le contrôleur rend *son billet au voyageur*.   8. Vous devez dire *votre nom à l'employé*.   9. Elle demande *au facteur* s'il y a des lettres.   10. Je demande *l'addition au garçon*.

VI. Traduisez en français:

1. Here is the letter, I give it back to you.   2. The waiter brings the menu and gives it to them.   3. I ask him if he has any rooms.   4. Ask the waiter for a glass. 5. He comes and I ask him for a glass.   6. You want something?   7. We are going to stay some time. 8. He must wait a few minutes.   9. I believe they have several sons and several daughters.

VII. Questionnaire :

1. Comment vous appelez-vous ? 2. Que âge avez-vous ? 3. Comment allez-vous aujourd'hui ? 4. Est-ce que tout le monde va bien à la maison ? 5. Quel temps fait-il aujourd'hui ? 6. Est-ce que vous avez chaud dans cette salle ? 7. Quelle heure est-il maintenant ? 8. A quelle heure vous couchez-vous le soir ? 9. A quelle heure vous levez-vous le matin ? 10. Où vous trouvez-vous généralement à deux heures du matin ? 11. Combien de temps mettez-vous pour venir à l'école ? 12. En quelle saison sommes-nous ? 13. En quel mois sommes-nous ? 14. Quel jour sommes-nous ? 15. A qui est ce livre ? ce stylo ? cette montre ? etc. 16. De quelle couleur est votre cahier ? votre cravate ? vos souliers ? etc. 17. Comment est votre maison ? votre jardin ? etc.

VIII. *Composition française.*

Le professeur rend leurs cahiers aux élèves. Il y a des élèves qui ont une bonne note, mais il y a quelques élèves qui ont une mauvaise note.

LEÇON VINGT

GRAMMAR

(a) The Perfect Tense

Example : **donner**, *to give*

j'ai donné, *I have given,* etc.
tu as donné
il a donné
nous avons donné
vous avez donné
ils ont donné

INTERROGATIVE

$\begin{cases} \text{ai-je donné?} \\ \text{est-ce que j'ai donné?} \end{cases}$ $\begin{cases} \textit{have I given?} \\ \textit{did I give?} \quad \text{etc.} \end{cases}$

$\begin{cases} \text{as-tu donné?} \\ \text{est-ce que tu as donné?} \end{cases}$

$\begin{cases} \text{a-t-il donné?} \\ \text{est-ce qu'il a donné?} \quad \text{etc.} \end{cases}$

NEGATIVE

je n'ai pas donné
tu n'as pas donné
il n'a pas donné
nous n'avons pas donné
vous n'avez pas donné
ils n'ont pas donné

$\begin{cases} \textit{I have not given} \\ \textit{I did not give} \\ \qquad \text{etc.} \end{cases}$

Note that **donné** remains unchanged throughout. This form **donné** (=*given*) is called the Past Participle. All verbs ending in **-er** have a Past Participle ending in **-é**, *e.g.* parlé, porté, montré, fermé, etc.

164

(b) The Perfect Tense of other Verbs

finir	*to finish*	j'ai fini
choisir	*to choose*	j'ai choisi
remplir	*to fill*	j'ai rempli
vendre	*to sell*	j'ai vendu
entendre	*to hear*	j'ai entendu
attendre	*to await*	j'ai attendu
répondre	*to reply*	j'ai répondu
perdre	*to lose*	j'ai perdu
être	*to be*	j'ai été
avoir	*to have*	j'ai eu
faire	*to do*	j'ai fait
dire	*to say*	j'ai dit
écrire	*to write*	j'ai écrit
mettre	*to put*	j'ai mis
prendre	*to take*	j'ai pris
comprendre	*to understand*	j'ai compris
apprendre	*to learn*	j'ai appris
ouvrir	*to open*	j'ai ouvert
voir	*to see*	j'ai vu
lire	*to read*	j'ai lu
croire	*to think*	j'ai cru
pouvoir	*to be able*	j'ai pu
vouloir	*to wish*	j'ai voulu
devoir	*to have to*	j'ai dû
savoir	*to know*	j'ai su
boire	*to drink*	j'ai bu

(c) Use of the Perfect Tense in French

Let us take an example of the Perfect tense: J'ai vu. This means "I have seen", but it may also correspond to "I saw". The fact is that in daily conversation the French habitually say "I have seen", "I have met",

"I have bought", rather than "I saw", "I met", "I bought", etc.

Examples:

>Ce matin j'ai vu Georges. *This morning I saw George.*
>Hier soir, nous avons rencontré Denise. *Yesterday evening we met Denise.*
>J'ai acheté ce chapeau chez Maury. *I bought this hat at Maury's.*

(*d*) The Pronoun **y** (= *there*).

This pronoun is placed before the verb, like **me, le, lui**, etc.

>Allez-vous à la gare? — Oui, j'y vais.
>Jean est-il dans la maison? — Oui, il y est.

LECTURE

EN FAMILLE

« Alors, mes enfants, demande M. Bonnet, vous avez été sages aujourd'hui? Vous n'avez pas ennuyé votre mère?

— Non, je ne pense pas, répond Marie.

— Qu'est-ce que tu as fait aujourd'hui, ma fille?

— Eh bien, ce matin, j'ai aidé maman à faire le ménage. J'ai lavé la vaisselle, j'ai fait les chambres, j'ai préparé les légumes. . . .

— C'est très bien, tu es une bonne fille. Et qu'est-ce tu as fait cet après-midi?

— J'ai joué au tennis avec des amies.

— Bon, tu as bien fait. . . . Et Claude, tu as travaillé un peu?

— Mais non, papa, je ne travaille jamais pendant les vacances, je m'amuse!

— Alors, qu'est-ce que tu as fait pour t'amuser?

— Eh bien, ce matin j'ai été voir Louis. Nous avons fait une petite promenade ensemble; j'ai pris quelques photographies. ... Mais je dois te dire une chose, papa: j'ai perdu mon appareil. ...

— Ah! nom d'un chien! tu as perdu l'appareil! Mais ce n'est pas ton appareil, c'est mon appareil! Je te l'ai prêté, et tu l'as perdu! Comment as-tu pu le perdre? Tu l'as laissé au bord de la route?

— Oui, sur un mur. Je l'ai posé un instant sur ce mur et je l'ai oublié.

— Ah! nom d'une pipe! Sais-tu combien il a coûté, cet appareil? Quatre cents francs, mon ami, quatre cents francs! Ah, tu m'ennuies, tu sais! Tu perds tout, tout! ... Mais vraiment, je ne comprends pas comment tu as pu perdre cet appareil. ...

— Mais je l'ai retrouvé, papa!

— Ah! tu l'as retrouvé? Pourquoi ne m'as-tu pas dit tout de suite que tu l'as retrouvé?

— Nous l'avons cherché longtemps et enfin nous l'avons retrouvé, toujours sur ce mur.

— Tu as eu de la chance, mon garçon. ... Voici ta mère. ... Ah, tu es fatiguée, chère amie! Tu as été en ville?

— Oui, dit madame Bonnet, je suis bien fatiguée. J'ai acheté toutes sortes de choses, puis j'ai dû attendre l'autobus au coin de la rue Victor-Hugo. J'y ai attendu vingt minutes. Je n'ai plus de jambes. Ah, ces autobus!

— Qui as-tu vu en ville?

— Eh bien, j'ai rencontré madame Tripote. Elle m'a dit que son mari va mieux. Puis, près de l'église, j'ai rencontré le curé. Nous avons bavardé pendant quelques minutes.

— Et qu'est-ce qu'il t'a raconté, le curé?

— Il m'a dit qu'il y a des garçons qui entrent dans son jardin et qui volent son raisin. . . .

— Ce n'est pas Claude qui a volé le raisin du curé?

— Ah! non, papa, dit Claude, mais je sais qui l'a fait. Hier, j'ai vu. . . .

— Non, mon garçon, lui dit son père, je ne veux pas le savoir! »

VOCABULAIRE

un appareil, *a camera*	aider, *to help*
le curé, *the (parish) priest*	bavarder, *to gossip*
le ménage, *the household (work)*	coûter, *to cost*
	ennuyer, *to bore, worry*
le raisin, *the grapes*	oublier, *to forget*
	préparer, *to prepare*
une église, *a church*	prêter, *to lend*
la photographie, *the photograph*	rencontrer, *to meet*
les vacances (*f.*), *the holidays*	avoir de la chance, *to be lucky*
la vaisselle, *the dishes, the crocks*	faire le ménage, *to do the housework*

ensemble, *together*		⎧ *bless my*
mieux (adverb), *better*	nom d'un chien!	⎫ *soul!*
pendant, *during, for*	nom d'une pipe!	⎬ *shiver my*
hier, *yesterday*		⎭ *timbers!*
sage, *good, well-behaved*		etc.

EXERCICES

I. Conjuguez:

J'ai oublié mon journal.
Je n'ai pas écrit à mes parents.
Ai-je vendu ma voiture?
Est-ce que j'ai compris?

II. Put into the Perfect tense:

Tu trouves; elle emporte; je finis; il répond; vous voyez; elles rencontrent; nous ouvrons; ils disent.

Comprends-tu? entendons-nous? est-ce que je lis? ferme-t-il? écrivent-ils? faites-vous? est-elle? veulent-elles?

Je ne peux pas; vous n'avez pas; elles ne demandent pas; tu ne sais pas; elle ne mange pas; nous ne voyons pas; ils n'apprennent pas; il ne met pas.

III. Questionnaire:

1. A quelle heure avez-vous déjeuné ce matin? 2. Où avez-vous déjeuné? 3. Qu'est-ce que vous avez mangé? 4. Avez-vous quelquefois mangé dans un restaurant? 5. A quelle heure avez-vous quitté la maison ce matin? 6. Avez-vous vu votre père aujourd'hui? 7. Avez-vous quelquefois ennuyé votre père? 8. Avez-vous regardé la télévision hier soir? 9. Qu'est-ce que vous avez apporté en classe? 10. Est-ce que vous avez lu le journal ce matin? 11. Avez-vous fait de longs voyages? 12. Avez-vous vu de hautes montagnes?

IV. Traduisez en français:

(a) 1. I have been ill. 2. You have accepted, haven't you? 3. We have seen your friends. 4. Brigitte has spent all her money. 5. Those people have left their suitcases. 6. Has he written? 7. Did she find her bag? 8. Did we close all the windows? 9. I haven't seen the doctor. 10. They did not wait. 11. You haven't understood. 12. We didn't hear.

(b) 1. This morning I wrote several letters. 2. We waited for the 'bus. 3. Yesterday Marie lost her watch. 4. You said the same thing, didn't you? 5. I asked for a room. 6. They caught (*prendre*) the first train. 7. You heard, didn't you?

V. Replace the words in italics by a pronoun:

1. Nous allons *au cinéma*. 2. L'auto est *dans le garage*. 3. Claude laisse son appareil *sur le mur*. 4. Ils trouvent *dans la haie* un nid d'oiseau. 5. Madame Poussin entre *dans le magasin*. 6. Le garçon pose la bouteille *sur la table*. 7. Ta bicyclette est toujours *devant la maison*. 8. Qu'est-ce que je vois *au milieu du jardin*?

In your answers to the following questions, make use of the pronoun **y**:

1. Allez-vous souvent au cinéma? — Oui, ... 2. Montez-vous dans votre chambre? — Non, ... 3. Jean va-t-il à la gare? — Oui, ... 4. Cette voiture est-elle toujours devant l'hôtel? — Oui, ... 5. Tu ne restes pas dans ce village? — Si, ... 6. Le marchand est-il dans la boutique? — Non, ... 7. Ces messieurs sont-ils dans le café? — Oui, ... 8. Nous n'entrons pas dans cette église? — Si, ...

VI. *Exemple:* donner: donne !   ne donne pas !
donnons ! ne donnons pas !
donnez ! ne donnez pas !

Give the imperative forms of: commencer, bouger, choisir, attendre, dire, faire, aller, boire, prendre, venir.

Give the French for: Let us stay; let us see; let us go in; don't let us forget; let us not wait; don't let us play.

VII. Questionnaire:

1. La France est-elle plus grande que l'Angleterre?
2. La France est-elle aussi grande que le Canada?
3. Est-ce que Paris est moins grand que Londres (*London*)? 4. Les restaurants français sont-ils meilleurs que nos restaurants? 5. Quelle est la plus grande ville de la France? 6. Quel est le plus beau pays du monde? 7. Quel est le meilleur hôtel de cette ville? 8. Comment s'appelle votre meilleur(e) ami(e)?

VIII. *Composition française.*

Vous avez perdu quelque chose. Vous racontez à vos parents où et comment vous l'avez perdu. Que disent vos parents?

LEÇON VINGT ET UN

GRAMMAR

(a) The Perfect Tense: Position of Pronoun Objects

Je l'ai rencontré à Londres. *I (have) met him in London.*

Leur avez-vous parlé? — Oui, je leur ai parlé.

Vous a-t-il écrit? — Non, il ne m'a pas écrit.

You see from these examples that the pronoun object is placed immediately before the auxiliary, *i.e.* the *avoir* part.

(b) Agreement of the Past Participle

Here is the Perfect tense of **voir**, *to see*:

j'ai vu	nous avons vu
tu as vu	vous avez vu
il a vu	ils ont vu
elle a vu	elles ont vu

You see that **vu** has the same form throughout. In other words, the past participle is unaffected by the gender and number of the Subject (je, elle, nous, ils, etc.). But you will see from the following examples that the past participle does agree in number and gender with a **preceding direct object**:

As-tu vu ma sœur? — Oui, je l'ai vue.

As-tu vu mes sœurs? — Oui, je les ai vues.

As-tu vu mes frères? — Oui, je les ai vus.

172

Quels livres avez-vous apportés?

Voici les livres que j'ai apportés.

(c) The Pronoun **en**

This important little word **en** may mean *of it, of them, some* or *any*.

1. Avons-nous du sucre? — Oui, nous en avons beaucoup.
   Have we any sugar?—Yes, we have plenty (of it).

2. A-t-elle peur des vaches? — Oui, elle en a peur.
   Is she afraid of cows?—Yes, she is afraid of them.

3. A-t-il des enfants? — Oui, il en a trois.
   Has he any children?—Yes, he has three (of them).

4. Avez-vous du beurre? — Oui, j'en ai.
   Have you any butter?—Yes, I have some.

5. Avez-vous des bananes? — Non, je n'en ai pas.
   Have you any bananas?—No, I have not any.

(d) **Order of Pronouns**

Y always precedes **en**, *e.g.* il y en a, *there is (are) some.*
Y and **en** come after all the other pronoun objects, so that the complete table is:

me te nous vous	le la les	lui leur	y	en

Examples:

Il nous en donne.	*He gives us some.*
Je ne les y vois pas.	*I do not see them there.*
Je leur en envoie.	*I send them some.*
Il n'y en a pas.	*There is (are) not any.*

LECTURE

LA PHOTO DE BELLA ROMANCE

— Louis, quelle est cette photo que tu montres à ta sœur? demande madame Brugnon à son fils.

— C'est une photo de Bella Romance, maman. Tu veux la voir?

— Qui est-ce, Bella Romance? J'ai déjà vu ce nom. ...Ah! je sais. C'est une actrice, n'est-ce pas? Je l'ai déjà vue dans un film.... Donne cette photo.... Oui, évidemment c'est une très jolie femme.... Mais, dis, où as-tu trouvé cette photo?

— Je ne l'ai pas trouvée, répond Louis, je l'ai achetée.

— Comment! tu l'as achetée? Pourquoi l'as-tu achetée? Ton père ne te donne pas ton argent de

poche pour acheter des photos d'actrices de cinéma!
Ce n'est pas une chose que font les garçons intelligents!
Allons, raconte comment tu l'as achetée, cette photo.
Qui te l'a vendue?

— Eh bien, cet après-midi, sur un banc de la place,
j'ai causé avec le grand-père de Bella!

— Avec son grand-père? Oh, là, là! Qu'est-ce que
tu racontes?

— Écoute, maman, tu vas voir. Ce vieux monsieur m'a
parlé de la ville, des églises, des écoles, des magasins, et
enfin il m'a parlé du cinéma. Il m'a demandé: « Est-ce
que vous avez vu des films de Bella Romance? » Je lui
ai dit: « Bien sûr, j'en ai vu plusieurs.» Alors ce
monsieur m'a dit quelque chose qui m'a beaucoup
surpris. Il a dit: « Je sais que vous n'allez pas me
croire, mais Bella Romance est ma petite-fille. » Puis
il a tiré de sa poche trois ou quatre photos et il me les a
montrées: « Vous voyez, m'a-t-il dit, que toutes ces
photos portent l'autographe de Bella. C'est Bella qui
les a signées et me les a données. Beaucoup de gens ont
voulu les acheter, mais je n'ai jamais voulu les vendre.
Malheureusement, ce matin j'ai perdu mon portefeuille,
donc je n'ai plus d'argent. Prenez ces photos. Si
vous voulez en acheter une, je veux bien vous la vendre.
Vous avez de l'argent, n'est-ce pas? » Je lui ai dit:
« J'en ai, mais je n'en ai pas beaucoup. Combien de-
mandez-vous pour une photo? » Il a dit: « Deux francs,
seulement deux francs.» J'ai regardé les photos, j'en
ai choisi la plus jolie, et je l'ai achetée. . . .

— Quel garçon! dit madame Brugnon, furieuse. Tu
as perdu ton argent, tu sais! Un vieux voleur te
raconte une histoire stupide, et tu la crois! Cet homme
a ramassé cette photo probablement pour rien et tu l'as

payée deux francs ! Ne raconte pas cette histoire à ton père ! Si tu la lui racontes, il va être furieux. Donne la photo ! Je la garde.

VOCABULAIRE

un autographe, *an autograph*
le banc, *the seat, bench*
le film, *the film*
le portefeuille, *the wallet*

une actrice, *an actress*
la petite-fille, *the grand-daughter*

ramasser, *to pick up*
signer, *to sign*
tirer, *to pull, draw*
surprendre (*like* prendre), *to surprise*

déjà, *already*
malheureusement, *un-fortunately*
seulement, *only*

Je veux bien, *I am willing*
Oh ! là ! là ! *Oh, dear, dear!*

176

EXERCICES

I. Conjuguez:

Je les ai entendus.
Je ne les ai pas regardés.
J'ai pris la boîte et je l'ai ouverte.

II. *Exemple:* j'ai perdu: ai-je perdu?
je n'ai pas perdu.

Deal similarly with:

Tu as fini; nous avons commencé; j'ai mis; il a jeté; j'ai signé; vous avez entendu; elles ont été; tu as voulu; ils ont bu; vous avez cru; elle a su; nous avons vu; tu as ouvert; ils ont lu; j'ai eu; nous avons fait; elle a dit; vous avez écrit; tu as pris; nous avons payé; j'ai mis; vous avez compris; il a bougé.

III. Give the Past Participle its required form:

1. Je t'ai prêté ma montre et tu l'as (perdu). 2. Nous les avons (appelé), mais ils ne nous ont pas (entendu). 3. Avez-vous vu mes parents? — Non, je ne les ai pas (vu). 4. A-t-il fermé les fenêtres? — Oui, il les a (fermé). 5. Avez-vous écrit cette lettre? — Oui, je l'ai (écrit). 6. Qu'as-tu fait des billets? Tu ne les as pas (perdu)? 7. Quels journaux a-t-il (acheté)? 8. Quelles assiettes avez-vous (apporté)? 9. Voici la robe que j'ai (choisi). 10. Ce sont les gens que nous avons (rencontré) hier.

IV. Relisez l'histoire de la photo de Bella, puis répondez à ces questions:

1. Quelle est la photo que Louis a achetée? 2. Avec quel argent l'a-t-il achetée? 3. Qui lui a vendu la photo? 4. Où Louis a-t-il rencontré cet homme?

5. Est-ce que Louis a déjà vu des films de Bella? 6. Est-ce vraiment Bella Romance qui a signé les photos? 7. Pourquoi le vieux monsieur n'a-t-il plus d'argent? 8. Combien Louis a-t-il payé la photo? 9. Pourquoi madame Brugnon est-elle furieuse? 10. Est-ce que Louis va raconter cette histoire à son père?

V. Replace the words in italics by the pronoun **en**:

1. Nous avons beaucoup *de pommes*. 2. Mon mari a beaucoup *de travail*. 3. Je n'ai pas peur *de ces animaux*. 4. Vous n'avez pas besoin *de votre imperméable*. 5. Nous avons cinq *arbres*. 6. J'ai acheté trois *cartes*. 7. Nous avons *du lait*. 8. Le marchand n'a pas *de poires*.

VI. Replace the words in italics by pronouns:

1. Jean me prête *sa bicyclette*. 2. Louis montre *les photos à sa mère*. 3. Nos amis nous apportant *des fleurs*. 4. M. Bonnet donne *de l'argent à son fils*. 5. Je garde *mes habits dans ma chambre*. 6. Nous allons vous trouver *à la gare*. 7. Je crois qu'il y a *du sucre*. 8. Il m'a rendu *mon billet*. 9. Je lui ai dit *mon nom*. 10. Nous lui donnons *du café*. 11. J'ai mis *le billet dans mon porte-feuille*. 12. Je ne vous ai pas vu *à l'église*.

VII. Traduisez en français:

1. Have you found the key?—Yes, I have found it. 2. Did you close the windows?—Yes, I closed them. 3. Did they see us?—No, they did not see us. 4. Which shoes have you chosen? 5. Here are the flowers which he brought. 6. Have you any apples?—Yes, I have plenty (of them). 7. Is he afraid of the dog?—Yes, he is afraid of it. 8. How many suitcases have you?—I have three (of them). 9. Have you any

money?—I have some, but Robert hasn't any. 10. My uncle sends them to me. 11. Here is Pierre's wallet. I am going to give it to him. 12. Is there any wine?— Yes, there is some.

VIII. *Composition française.*

Vous avez acheté quelque chose que vos parents n'aiment pas. Où l'avez-vous acheté? Pourquoi l'avez-vous acheté? Que disent vos parents?

LEÇON VINGT-DEUX

GRAMMAR

(a) Present Tense of the Irregular Verbs **partir, sortir**

Partir, *to depart*	**Sortir**, *to go (come) out*
je pars	je sors
tu pars	tu sors
il part	il sort
nous partons	nous sortons
vous partez	vous sortez
ils partent	ils sortent

(b) The Perfect Tense formed with **être**

A few verbs, chiefly expressing movement, form their Perfect with **être**.

VERB		PERFECT TENSE
aller	*to go*	je suis allé(e)
{ **venir**	*to come*	je suis venu(e)
{ **revenir**	*to come back*	je suis revenu(e)
arriver	*to arrive*	je suis arrivé(e)
partir	*to depart*	je suis parti(e)
sortir	*to go (come) out*	je suis sorti(e)
{ **entrer**	*to enter*	je suis entré(e)
{ **rentrer**	*to go (come) home*	je suis rentré(e)
rester	*to stay, remain*	je suis resté(e)
descendre	*to descend*	je suis descendu(e)
monter	*to go (come) up*	je suis monté(e)
tomber	*to fall*	je suis tombé(e)

The full Perfect tense of **arriver**:

je suis arrivé(e)	nous sommes arrivé(e)s
tu es arrivé(e)	vous êtes arrivé(e)(s)
il est arrivé	ils sont arrivés
elle est arrivée	elles sont arrivées

NEGATIVE: je ne suis pas arrivé(e), etc.

INTERROGATIVE:
$$\begin{cases} \text{suis-je arrivé(e) ?} \\ \text{est-ce que je suis arrivé(e) ?} \end{cases}$$
etc.

Note carefully that, in the case of the verbs conjugated with **être**, the past participle agrees with the Subject: elle est sortie; ils sont arrivés.

(c) Position of Pronoun Objects with the Imperative

When the imperative is used, the pronoun object is placed after the verb and is joined to it by a hyphen. With the imperative negative, however, the pronoun is placed before the verb, as in the ordinary statement.

Prenez-les ! *Take them!* Ne les prenez pas ! *Do not take them!*

Parlons-leur ! *Let us speak to them!* Ne leur parlons pas ! *Do not let us speak to them!*

Allez-y ! *Go there!* N'y allez pas ! *Do not go there!*

Note that after the imperative we use **moi**, not **me**:

Laissez-moi ! *Leave me!* Ne me laissez pas ! *Do not leave me!*

(d) Imperative of Reflexive verbs

The reflexive pronoun is the object of the verb, and the same rule applies:

2ND P. SING.   cache-toi !   ne te cache pas !
2ND P. PLUR. cachez-vous ! ne vous cachez pas !
1ST P. PLUR. cachons-nous ! ne nous cachons pas !

Note that after the verb we use **toi**, not **te**.

The French are very fond of adding **donc** (=*then, there-fore*) to the imperative:

> Viens donc ! *Come then! Well, come!*
> Entrez donc ! Parlez donc !
> Levez-vous donc ! *Well, get up!*

LECTURE

«JE VEUX VOIR NAPOLÉON!»

Les Bonnet sont à Paris pour quelques jours. C'est l'heure du déjeuner. Dans la salle à manger de l'hôtel, madame Bonnet attend son mari et ses enfants, qui sont montés dans leurs chambres. La serveuse vient bavarder un instant avec elle.

— Vous avez l'air un peu fatiguée, madame, lui dit la serveuse.

— C'est vrai que je suis fatiguée. Nous sommes tous fatigués. Paris ! Quelle ville ! Les promenades dans Paris sont fatigantes.

— Vous êtes donc sortis ce matin ?

— Oui, nous avons fait une longue promenade. Je crois que nous sommes allés trop loin.

— Où êtes-vous allés, madame ?

— Eh bien, nous sommes partis vers dix heures. D'abord nous sommes allés au jardin du Luxembourg. Ensuite nous sommes allés dans l'île de la Cité et nous sommes entrés dans Notre-Dame et la Sainte-Chapelle.

— Quelles belles églises, madame !

— Oui, elles sont magnifiques, toutes les deux....

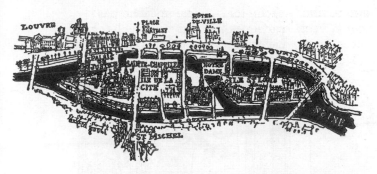

Enfin nous sommes revenus à la place Saint-Michel, où
nous avons voulu prendre l'autobus pour rentrer. . . .

— Mais il y a beaucoup de monde à midi!

— Je pense bien! Eh bien, nous y avons attendu
quelques minutes. Un autobus est arrivé: complet;
personne n'est descendu; l'autobus est parti. Un autre
est arrivé: la même chose. Un troisième autobus est
arrivé: plusieurs voyageurs sont descendus. Mon mari
a dit: «Allez, mes enfants, montez! Dépêchez-vous!»
Marie, Claude et Pierre sont montés. Mais alors le
receveur nous a dit: «Vous ne pouvez pas monter, il n'y
a plus de place.» Je lui ai dit: «Mais nos enfants sont
déjà montés et ils n'ont pas d'argent pour payer leurs
places!» Le receveur a répondu: «Vous êtes cinq, il
n'y a que trois places, vos enfants doivent descendre.»
Donc ils sont descendus. Alors mon mari m'a dit:
«Nous ne pouvons pas attendre plus longtemps, prenons
un taxi.» Donc nous sommes revenus en taxi. Nous
avons arrêté la voiture au coin du boulevard parce que
j'ai voulu faire quelques emplettes. . . . Mais écoutez,
c'est amusant. Nous sommes passés devant l'église.
Un peu plus loin, mon petit Pierre s'arrête. Je lui ai
demandé: «Qu'est-ce que tu as? Pourquoi t'arrêtes-tu?»

Il m'a dit: « Je veux retourner à l'église. Je veux voir Napoléon ! »

— Napoléon? dit la serveuse.

— Le suisse, vous comprenez. Vous savez que le suisse porte un grand chapeau à la Napoléon !

VOCABULAIRE

le boulevard, *the boulevard*

le receveur, *the ('bus) conductor*

le suisse, *Swiss guard*

le taxi, *the taxi*

partir, *to depart, set out*

sortir, *to go (come) out*

complet, *f.* complète, *full*

fatigant, *tiring*

une île, *an island*

la place; *room; the seat*

la serveuse, *the waitress*

beaucoup de monde, *a lot of people*
faire des emplettes, *to make purchases, to do some shopping*
Elle a l'air fatiguée. *She looks tired*
Je pense bien! *I should say so!*

EXERCICES

I. Conjuguez:

Je sors de ma maison.
Je suis revenu(e).
Est-ce que je suis sorti(e)?
Je ne suis pas resté(e).

II. Mettez au parfait:

Il revient; nous partons; je vais; elle arrive; je ne descends pas; elle ne tombe pas; est-ce que tu entres? elles ne reviennent pas; est-ce qu'il part? est-ce qu'elles montent? nous n'allons pas; restez-vous? vous sortez; rentre-t-elle? il ne monte pas; est-ce qu'ils descendent? elles arrivent; je ne reste pas; elles ne partent pas; nous n'allons pas.

III. Give the past participle its required form:

1. Combien de temps y es-tu (resté), Marie? 2. Maman est-elle (rentré)? 3. Nous n'y sommes pas (allé). 4. Êtes-vous (entré), madame? 5. Nos amis ne sont pas (arrivé). 6. Messieurs, êtes-vous (allé) à Menton? 7. A quelle heure y êtes-vous (arrivé), mes filles? 8. Ces dames ne sont pas encore (revenu).

IV. Questionnaire:

1. A quelle heure êtes-vous rentré(e) hier, après la classe? 2. Hier soir, êtes-vous resté(e) à la maison, ou

est-ce que vous êtes sorti(e)? 3. A quelle heure êtes-vous monté(e) vous coucher? 4. A quelle heure êtes-vous parti(e) de la maison ce matin? 5. A quelle heure êtes-vous arrivé(e) à l'école? 6. Aujourd'hui, qu'est-ce que vous avez fait quand vous êtes entré(e) dans la salle de classe? 7. Êtes-vous allé(e) en ville aujourd'hui? 8. Êtes-vous sorti(e) en auto dimanche dernier? 9. Où êtes-vous allé(e) passer vos vacances? Combien de temps y êtes-vous resté(e)? 10. Êtes-vous jamais tombé(e) d'un arbre?

V. Traduisez en français:

1. I arrived at seven o'clock. 2. John has come back. 3. She has gone out. 4. We stayed there three days. 5. You (*m. pl.*) have come home early. 6. The children have already gone up. 7. No, I did not go in. 8. Jacques hasn't gone (*partir*) yet. 9. She hasn't arrived. 10. You (*f. sing.*) didn't fall. 11. Have they (*m.*) come down? 12. Has she gone out?

VI. Replace the words in italics by pronouns:

1. Porte *cette valise*! 2. Mettez *ces verres* sur la table! 3. Écrivez *votre nom*! 4. Mettons cette chaise *dans le le coin*! 5. Prête ton imperméable *à Jacques*! 6. Portez des fruits *à ces messieurs*! 7. Ne perds pas *ton billet*! 8. Ne racontez pas *cette histoire* au directeur! 9. Ne donnons pas de vin *aux enfants*! 10. Ne touchez pas *ces animaux*! 11. Ne pose pas de questions *à cet homme*! 12. N'allons pas *au café*.

VII. Mettez au négatif:

1. Lisez-le! 2. Cherchons-la! 3. Fermez-les! 4. Répondez-lui! 5. Écrivons-leur! 6. Attendez-moi! 7. Regardez-nous! 8. Restons-y!

VIII. *Exemple:* se cacher:

> cache-toi !   ne te cache pas !
> cachons-nous !   ne nous cachons pas !
> cachez-vous !   ne vous cachez pas !

Give the same imperative forms of: se lever, se dépêcher, se promener, se coucher, se reposer.

IX. Traduisez en français:

1. Touch them! Don't touch them! 2. Listen to him! Don't listen to him! 3. Let us wait for her! Don't let us wait for her! 4. Answer him! Don't answer him! 5. Let us speak to them! Don't let us speak to them! 6. Stay there! Don't stay there! 7. Stand up! Don't stand up! 8. Let us stop here! Don't let us stop here!

X. *Composition française.*

Vous êtes allé(e) en ville. Vous êtes rentré(e) en autobus. Racontez.

LEÇON VINGT-TROIS

GRAMMAR

(a) The Perfect Tense of Reflexive Verbs

The Perfect of all reflexive verbs is formed with **être**.
Example: **se lever**, *to rise, to get up*.

je me suis levé(e)
tu t'es levé(e)
il s'est levé
elle s'est levée
nous nous sommes levé(e)s
vous vous êtes levé(e)(s)
ils se sont levés
elles se sont levées

INTERROGATIVE: $\begin{cases} \text{me suis-je levé(e)?} \\ \text{est-ce que je me suis levé(e)?} \quad \text{etc.} \end{cases}$

NEGATIVE: je ne me suis pas levé(e), etc.

Agreement of the Past Participle

We already know the rule that the past participle agrees with a preceding direct object:

Je les ai entendus.

Now just the same rule applies to Reflexive verbs:

Elle s'est levée.   Ils se sont levés.

In the first example, **levée** agrees with **se** (= *herself*); in the second example, **levés** agrees with **se** (= *themselves*).

(b) The Irregular Verb **s'asseoir**, *to sit down* (lit. *to seat oneself*)

PRESENT TENSE

je m'assieds	nous nous asseyons
tu t'assieds	vous vous asseyez
il s'assied	ils s'asseyent

IMPERATIVE

assieds-toi !	ne t'assieds pas !
asseyons-nous !	ne nous asseyons pas !
asseyez-vous !	ne vous asseyez pas !

PERFECT TENSE

je me suis assis(e), etc.

Distinguish clearly between:

Il s'assied sur un banc.　*He sits down on a bench.*
Il est assis sur un banc.　*He is sitting (seated) on a bench.*

Also do not confuse **il est assis**, *he is sitting*, with **il s'est assis**, *he (has) sat down*.

(c) The verb **dormir**, *to sleep*, is conjugated in the Present like **partir** and **sortir**:

je dors	nous dormons
tu dors	vous dormez
il dort	ils dorment

PERFECT: j'ai dormi, *I (have) slept*

Note also **s'endormir**, *to go to sleep*:

PRESENT: je m'endors, etc.
PERFECT: je me suis endormi(e), etc.

(d) The Disjunctive (or Strong) Pronouns

moi	*me*	**nous**	*us*
toi	*you*	**vous**	*you*
{ **lui**	*him*	{ **eux**	*them* (m.)
{ **elle**	*her*	{ **elles**	*them* (f.)

These pronouns are used with prepositions:

avec moi, *with me*   devant nous, *in front of us*
pour lui, *for him*   sans eux, *without them* (m.)
derrière elle, *behind her*   avec elles, *with them* (f.)

Note also their use with **chez**, which is really a preposition:

chez moi, *at (to) my house*   chez nous, *at (to) our house (home)*
chez elle, *at (to) her house*   chez eux, *at (to) their house (home)*

The following is a much-used form:

A qui est ce canif? — Il est à moi.
Whose penknife is this?—It is mine.

LECTURE

LES DEUX MÉDECINS

Le docteur Guérison sort d'une maison où il a visité un malade, lorsqu'il voit son ami, le docteur Toubib, qui vient vers lui. Toubib s'approche, il lui donne la main:

— Bonjour, Guérison, dit-il, comment allez-vous aujourd'hui?

— Assez bien, merci; seulement je suis fatigué. Je me suis levé à deux heures du matin pour aller chez une cliente.

— Ah, vous savez, ce sont des choses qui arrivent. Au

milieu de la nuit, quand tout le monde dort, le pauvre docteur doit se lever, sortir, aller voir des malades. . . . Mais, dites, qu'est-ce qui est arrivé exactement?

— Eh bien, je me suis couché vers dix heures, comme d'habitude. J'ai lu pendant quelques minutes, puis j'ai posé mon livre et bientôt je me suis endormi. Je me suis réveillé pour entendre la sonnerie du téléphone. J'ai pris le récepteur: « Allô! Ici, le docteur Guérison. Qu'est-ce qu'il y a? » Une voix de femme a répondu: « C'est madame Tracasse qui vous parle. Je dois vous dire, docteur, que ma petite fille est malade. Elle a très chaud. J'ai pris sa température: c'est 45! »

— 45! Oh, là là! dit Toubib, mais 45!

Guérison continue:

— Elle m'a dit: « Voulez-vous venir tout de suite chez nous? Je suis seule avec les enfants, mon mari est en voyage. Dépêchez-vous, docteur, oh! dépêchez-vous! » Je lui ai dit: « Mais 45, madame, c'est impossible! Vous vous êtes trompée! Vous ne savez pas lire un thermomètre! » — « Si, docteur, c'est 45, j'en suis certaine.» Donc je me suis levé, je me suis habillé, je suis monté dans ma voiture et je suis allé chez elle. J'y suis arrivé, elle m'a ouvert, nous sommes montés ensemble dans la chambre de l'enfant. Je me suis assis près du lit, j'ai regardé la petite, j'ai touché son front. J'ai dit à la dame: « Mais cette enfant n'a pas très chaud. Je suis persuadé qu'elle n'a rien. Voulez-vous me prêter votre thermomètre? » J'ai mis le thermomètre dans la bouche de la petite; après une minute je l'ai retiré: 37, température normale! La dame s'est excusée. Elle m'a dit: «Je me suis sûrement trompée. Je vous demande pardon. C'est vrai que je n'ai pas mis mes lunettes pour lire le thermomètre.» Je l'ai quittée, je suis revenu chez moi, je me suis recouché. Voilà !

— Eh oui, voilà ! dit Toubib. Évidemment il y a des gens qui ne sont pas très intelligents. Ah, j'ai des clients qui m'ennuient, vous savez ! Il y en a un qui m'appelle souvent, et je ne suis pas toujours aimable avec lui. Je suis allé un jour chez lui. Il m'a dit: « Docteur, quand je lève le bras pour mettre mes lunettes, j'ai une douleur ici. » Je lui ai dit: « Eh bien, mon bon monsieur, ne les mettez pas ! Demandez à votre femme: elle peut vous les mettre ! » . . . Eh bien, au revoir, Guérison. Allez, au revoir !

VOCABULAIRE

le bras, *the arm*	retirer, *to withdraw, take out*
le front, *the forehead*	visiter, *to visit*
le (la) malade, *the patient*	s'approcher, *to approach*
le médecin, *the doctor*	s'excuser, *to apologize*
le récepteur, *the receiver*	se tromper, *to deceive oneself, to make a mistake*
la bouche, *the mouth*	s'asseoir, *to sit down*
la douleur, *the pain*	s'endormir, *to go to sleep*
une habitude, *a habit*	dormir, *to sleep*
les lunettes (*f.*), *the spectacles*	
la sonnerie du téléphone, *the telephone bell*	aimable, *nice, pleasant*
	bientôt, *soon*
	sûrement, *surely*
	lorsque, *when*
	voilà ! *there you are!*

comme d'habitude, *as usual*.
Je vous demande pardon. *I beg your pardon.*
Elle n'a rien. *There is nothing the matter with her* (lit. she has nothing).

EXERCICES

I. Conjuguez:

Je me suis approché(e).
Je ne me suis pas réveillé(e).
Est-ce que je me suis trompé(e)?
Je me suis assis sur mon lit.
Je suis assis dans mon fauteuil (*armchair*).

II. Mettez au parfait:

Je m'habille; elle se réveille; vous vous trompez; tu te sauves; nous nous cachons; elles s'asseyent; il se couche; ils s'excusent; je ne me lève pas; elle ne se dépêche pas; nous ne nous arrêtons pas; ils ne s'approchent pas; se couche-t-il? vous amusez-vous? se promènent-elles?

III. Give the past participle its required form:

1. Nous avons bien (dormi). 2. Elle est (parti). 3. Je les ai (cherché). 4. Ils se sont (endormi). 5. Elle a (entendu). 6. Nous sommes (revenu). 7. Elle s'est (couché). 8. Ils sont (descendu). 9. Nous avons (joué). 10. Ils sont (arrivé). 11. Nous nous sommes bien (amusé). 12. Elle nous a (appelé).

IV. Traduisez en français:

1. They have enjoyed themselves (*s'amuser bien*). 2. Did you go to bed (*se coucher*) early? 3. He woke up (*se réveiller*) at 6 o'clock. 4. This afternoon Mother has rested (*se reposer*). 5. The car stopped (*s'arrêter*) near the house. 6. The boys have been for a walk (*se promener*). 7. They did not apologize (*s'excuser*). 8. I think that she has gone to sleep (*s'endormir*). 9. We sat down (*s'asseoir*) at the side of the road. 10. She is sitting in front of her door.

V. Répondez aux questions:

1. Vous êtes-vous promené(e) hier soir? 2. A quelle heure vous êtes-vous couché(e) hier soir? 3. Est-ce que vous vous êtes endormi(e) tout de suite? 4. A quelle heure vous êtes-vous réveillé(e) ce matin? 5. Est-ce que vous vous êtes levé(e) tout de suite? 6. Où vous êtes-vous habillé(e)? 7. Au déjeuner, vous êtes-vous assis(e) sur la table? 8. Où êtes-vous assis(e) maintenant? 9. Est-ce que vous vous êtes bien amusé(e) pendant les vacances? 10. Vous êtes-vous reposé(e) dimanche dernier?

VI. Traduisez en français:

Near him; for me; after you; towards her; with us; in front of them (*m.*); between us; with them (*f.*).

To your house; at our house; at his home; to her house; to their (*m.*) home.

Répondez aux questions:

1. Êtes-vous maintenant chez vous? 2. Vos parents sont-ils chez eux en ce moment? 3. Le facteur est-il venu chez vous ce matin? 4. Êtes-vous jamais allé chez moi? 5. Quand les jeunes garçons (filles) sortent le soir, à quelle heure doivent-ils (elles) rentrer chez eux (elles)? 6. A qui est ce livre? ce stylo? cette règle, cette montre? ce mouchoir? etc.

VII. Complete the answers, using pronouns to represent the words in italics:

1. Voulez-vous me prêter *votre journal*, s'il vous plaît? — Oui, . . . 2. Est-ce que nous allons lui rendre *ce portefeuille*? — Oui, . . . 3. Il y a *du lait*, n'est-ce pas? — Non, . . . 4. Il n'y a pas *de lettres* pour moi? — Si, . . . 5. Avez-vous besoin *de ce crayon*? — Oui, . . .

6. Tu n'as pas peur *des vaches* ? — Si, ... 7. Est-ce que vous leur donnez *de l'argent* ? — Oui, ... 8. Allez-vous *au café* ? — Non, ... 9. Vous ne retournez pas *à l'hôtel* ? — Si, ... 10. Est-ce que vous laissez *les assiettes sur la table* ? — Oui, ...

VIII. *Composition française*

Votre mère croit que votre frère (ou votre sœur) est malade. Elle téléphone au docteur. Le docteur arrive chez vous. Il trouve que l'enfant en question n'a rien.

LEÇON VINGT-QUATRE

GRAMMAR

(a) Recapitulation of the Perfect Tense

Complete mastery of the Perfect is essential if you are going to converse at all freely in French. Its forms (with *avoir* and *être*) are quite difficult to manipulate, and there is the added complication of the Past Participle agreement. Now that we have made a first effort to learn this very important tense, let us recapitulate.

1. The Perfect with **avoir.**

Generally speaking, *I have (done)* is said in the same way in French: J'ai donné, *I have given.* J'ai vu, *I have seen.*

j'ai donné	nous avons donné
tu as donné	vous avez donné
il (elle) a donné	ils (elles) ont donné

The past participle (donné, vu, etc.) is independent of the gender and number of the Subject; it changes its form only to agree with a preceding direct object:

Je les ai vus. Il les a apportés.

2. The Perfect of Reflexive verbs.

All reflexive verbs are conjugated with **être.**

je me suis levé(e)	nous nous sommes levé(e)s
tu t'es levé(e)	vous vous êtes levé(e)(s)
{ il s'est levé	{ ils se sont levés
{ elle s'est levée	{ elles se sont levées

Again the past participle agrees with the direct object:

Elle s'est cachée.   Ils se sont arrêtés

3. A dozen or so common verbs, chiefly verbs of movement, are conjugated with **être**. We must learn this list perfectly:

aller	*to go*	
{ venir	*to come*	
{ revenir	*to come back*	
retourner	*to go back*	
arriver	*to arrive*	
partir	*to depart*	
sortir	*to go (come) out*	
{ entrer	*to enter*	
{ rentrer	*to go (come) home*	
rester	*to stay*	
descendre	*to descend*	
monter	*to go (come) up*	
tomber	*to fall*	

With these verbs, the past participle may be looked upon as an adjective always agreeing with the Subject:

elle est arrivée;   ils sont sortis

(*b*) The Verb **connaître**, *to know* (= to be acquainted with).

PRESENT

je connais	nous connaissons
tu connais	vous connaissez
il connaît	ils connaissent

PERFECT

j'ai connu, etc.

Examples:

>Connaissez-vous madame Duchêne? — Non, je ne
>la connais pas.
>J'ai connu beaucoup de Français.

(c) **Ceci**, *this* (thing); **cela**, *that* (thing).
>Regardez ceci! *Look at this!*
>Ceci est plus cher. *This is dearer.*

>Qui a fait cela? *Who has done that?*
>Cela m'amuse. *That amuses me.*

Instead of **cela**, the French often use in conversation
the shortened form **ça**:

>Qui a dit ça?
>Qu'est-ce que c'est que ça? *What is that?*

LECTURE
DES LIVRES SANS PRIX

— Alors, mes enfants, dit monsieur Bonnet, vous avez
fait une bonne promenade? Vous avez vu des choses
intéressantes?

— Oui, papa, dit Claude. Nous nous sommes
promenés longtemps sur les quais. Nous avons vu les
ponts, le Louvre, Notre-Dame, l'île Saint-Louis. . . .

— Vous avez donc vu les bouquinistes, ces marchands
de livres qui ont ces grosses boîtes vertes sur le parapet
des quais?

— Oui, papa, dit Marie, nous les avons vus. Nous
nous sommes arrêtés pour regarder leurs livres, mais nous
n'avons rien acheté.

— Non? Vous n'avez pas trouvé de livres sans prix?

— Qu'est-ce que c'est que ça, des livres sans prix?
demande Claude. Qu'est-ce que tu veux dire, papa?

— Écoutez, mes enfants. Je vais vous raconter l'histoire d'une jeune fille qui a trouvé des livres sans prix. . . . Un jour un bouquiniste a quitté sa boîte et ses livres une minute pour aller boire un verre au café d'en face. En son absence une jeune fille s'est approchée, elle s'est arrêtée pour examiner les livres. Enfin elle a choisi deux volumes de Shakespeare. Elle a pris de l'argent dans son sac, elle a voulu payer les livres. Tout près, elle a vu un homme qu'elle a pris pour le bouquiniste. Elle s'est approchée, elle lui a demandé :

« — Combien, ces deux livres, s'il vous plaît ?

« L'homme a pris les livres, il les a regardés un instant, il les a rendus à la jeune fille :

« — Mademoiselle, a-t-il dit, ces livres sont sans prix.

« — Vraiment, ils sont sans prix ?

« — Sans prix, mademoiselle, oui.

« — Ah ! merci beaucoup, monsieur.

« Et elle est partie. A cet instant le bouquiniste est revenu. Il a vu la jeune cliente qui emporte les deux livres, il l'a rappelée :

« — Mademoiselle ! mademoiselle !

« Elle est revenue :

« — Qu'est-ce qu'il y a ? a-t-elle demandé.

« — Vous emportez ces deux livres ?

« — Oui. Alors ?

« — Est-ce que vous les avez payés ?

« — Non.

« — Pourquoi pas ?

« — Parce qu'ils sont sans prix.

« — Sans prix ? Qui est-ce qui vous a dit ça ?

« — Le monsieur que vous voyez là. Je l'ai pris pour le bouquiniste.

« — C'est moi, le bouquiniste. Je ne le connais pas,

cet homme.   Si pour lui ces livres sont sans prix, pour moi ils ont un prix.   C'est sept francs cinquante, s'il vous plaît.»

VOCABULAIRE

le bouquiniste, *the book dealer*
le parapet, *the parapet*
le pont, *the bridge*
le prix, *the price*
le quai, *the quay, riverside street*

intéressant, *interesting*
tout près, *quite close, near by*
rappeler, *to recall, call back*

le café d'en face, *the café opposite*
Je veux dire. *I mean.*
Qu'est-ce que c'est que ça? *What is that?*
Pourquoi pas? *Why not?*

EXERCICES

I. Conjuguez:

J'ai attendu.
Je les ai entendus.
Je me suis excusé(e).
Je suis rentré(e).

II. Mettez au parfait:

1. Je travaille. 2. Il ne sort pas. 3. Elle s'assied.
4. Je tombe. 5. Vous arrivez. 6. Nous oublions. 7.
Je m'amuse bien. 8. Ces dames se reposent. 9. Elle
va. 10. Nos amis ne téléphonent pas. 11. Ils montent. 12. Nous descendons. 13. Les enfants s'endorment. 14. Ils ne s'arrêtent pas. 15. Elles partent.
16. Elle n'écoute pas.

III. Complete the answers, using pronouns wherever
possible:

1. Jacqueline, as-tu mangé? — Oui, ... 2. Claude,
as-tu vu mes lunettes? — Non, ... 3. Vous n'avez pas
perdu votre montre? — Non, ... 4. Avez-vous lu ces
journaux? — Oui, ... 5. Vos amis sont-ils arrivés? —
Non, ... 6. Y êtes-vous restée longtemps, madame? —
Oui, ... 7. Maman est-elle rentrée? — Non, ... 8.
A quelle heure t'es-tu levée, Brigitte? — Je ... 9. La
voiture s'est-elle arrêtée? — Non, ... 10. Vous vous
êtes promenés, mes amis? — Oui, ...

IV. Relisez l'histoire des « livres sans prix », puis répondez aux questions suivantes:

1. Où les enfants se sont-ils promenés? 2. Qu'est-ce qu'ils ont vu? 3. Dans quelle ville se trouvent le Louvre, Notre-Dame, etc.? 4. Êtes-vous allé(e) à Paris? Si vous n'y êtes pas allé(e), voulez-vous y aller? 5. Le bouquiniste de l'histoire, où est-il allé? 6. Qu'est-ce qui est arrivé en son absence? 7. Quels livres la jeune fille a-t-elle choisis? 8. Qu'a dit le monsieur à qui elle a montré les deux livres? 9. Qu'a fait le bouquiniste quand il a vu la jeune fille? 10. Qu'est-ce qu'il lui a demandé? 11. Qu'a-t-elle répondu? 12. Quel est le prix des deux livres?

V. *Exemple:* laisser.

PRESENT: elle laisse   PERFECT: elle a laissé
ils laissent   ils ont laissé

Give the same forms of:

faire, croire, mettre, ouvrir, dire, aller, remplir, perdre, dormir, écrire, s'amuser, lire, boire, descendre, vouloir, s'asseoir, venir, pouvoir, se promener, partir, comprendre, sortir.

VI. Replace the words in italics by pronouns:

1. Nous avons vu *ta sœur*. 2. Je lui ai demandé *son nom*. 3. Avez-vous fermé *les fenêtres*? 4. Est-ce que vous avez parlé *à ces gens*? 5. Nous sommes allés *au restaurant*. 6. Ce marchand a beaucoup *de clients*. 7. Je n'ai plus besoin *de ces choses*. 8. Il y a six *places*. 9. Nous n'avons plus *de lait*. 10. Je suis allé *au café* avec *François*. 11. Nous sommes partis sans *les enfants*. 12. Êtes-vous allés chez *monsieur Dubois*?

EXERCICES

VII. Mettez au négatif:

1. Regardez-les! 2. Emportons-la! 3. Écoutez-le! 4. Attends-moi! 5. Laissez-nous! 6. Allons-y! 7. Buvez-en! 8. Asseyons-nous! 9. Lève-toi! 10. Sauvez-vous!

VIII. Traduisez en français:

1. Have you written those letters?—Yes, I have written them. 2. The old lady sat down on a bench. 3. Those girls are sitting in front of the hotel. 4. We woke up early. 5. My parents have gone out. 6. The gentlemen have not come back yet. 7. Read this! 8. This is prettier. 9. Who said that! 10. That bores me. 11. What is that?—It is my handkerchief. 12. You say nothing. 13. I never see them. 14. We have only a few minutes. 15. He no longer works there. 16. I don't know anybody here.

LIST OF VERBS

VERB TYPES

1. Verbs in -er

INFINITIVE	PRESENT TENSE		PERFECT TENSE
parler,	je parle	nous parlons	j'ai parlé
to speak	tu parles	vous parlez	tu as parlé
	il parle	ils parlent	etc.

IMPERATIVE
parle, parlons, parlez

manger,	je mange	nous mangeons	j'ai mangé
to eat	tu manges	vous mangez	tu as mangé
	il mange	ils mangent	etc.

Like **manger**: other verbs in **-ger**, *e.g.* **bouger**, *to move.*

commencer,	je commence	nous commençons	j'ai commencé
to begin	tu commences	vous commencez	tu as commencé
	il commence	ils commencent	etc.

Like **commencer**: other verbs in **-cer**, *e.g.* **placer**, *to place.*

jeter,	je jette	nous jetons	j'ai jeté
to throw	tu jettes	vous jetez	tu as jeté
	il jette	ils jettent	etc.

appeler,	j'appelle	nous appelons	j'ai appelé
to call	tu appelles	vous appelez	tu as appelé
	il appelle	ils appellent	etc.

acheter,	j'achète	nous achetons	j'ai acheté
to buy	tu achètes	vous achetez	tu as acheté
	il achète	ils achètent	etc.

Like **acheter**: **lever**, *to raise*, **mener**, *to lead*, and others.

espérer,	j'espère	nous espérons	j'ai espéré
to hope	tu espères	vous espérez	tu as espéré
	il espère	ils espèrent	etc.

Like **espérer**: **répéter**, *to repeat*, and others.

INFINITIVE	PRESENT TENSE		PERFECT TENSE
envoyer,	j'envoie	nous envoyons	j'ai envoyé
to send	tu envoies	vous envoyez	tu as envoyé
	il envoie	ils envoient	etc.

Like **envoyer: employer,** *to use,* and other verbs in **-oyer.**

2. Finir

finir,	je finis	nous finissons	j'ai fini
to finish	tu finis	vous finissez	tu as fini
	il finit	ils finissent	etc.

IMPERATIVE

finis, finissons, finissez

Like **finir: choisir,** *to choose,* **remplir,** *to fill,* and others.

3. Vendre

vendre,	je vends	nous vendons	j'ai vendu
to sell	tu vends	vous vendez	tu as vendu
	il vend	ils vendent	etc.

IMPERATIVE

vends, vendons, vendez

Like **vendre: attendre,** *to await,* **descendre,** *to descend* (Perfect: je suis descendu), **entendre,** *to hear,* **perdre,** *to lose,* **rendre,** *to render,* **répondre,** *to answer,* and others.

Irregular Verbs

(**Être** and **avoir** are placed first, and the others follow in alphabetical order)

être,	je suis	nous sommes	j'ai été
to be	tu es	vous êtes	tu as été
	il est	ils sont	etc.

IMPERATIVE

sois, soyons, soyez

avoir,	j'ai	nous avons	j'ai eu
to have	tu as	vous avez	tu as eu
	il a	ils ont	etc.

IMPERATIVE

aie, ayons, ayez

LIST OF VERBS

INFINITIVE	PRESENT TENSE		PERFECT TENSE
aller, *to go*	je vais tu vas il va	nous allons vous allez ils vont	je suis allé(e) tu es allé(e) etc.

IMPERATIVE
va, allons, allez

s'asseoir, *to sit down*	je m'assieds tu t'assieds il s'assied	nous nous asseyons vous vous asseyez ils s'asseyent	je me suis assis(e) etc.

IMPERATIVE
assieds-toi
asseyons-nous
asseyez-vous

IMPERATIVE NEGATIVE
ne t'assieds pas
ne nous asseyons pas
ne vous asseyez pas

boire, *to drink*	je bois tu bois il boit	nous buvons vous buvez ils boivent	j'ai bu tu as bu etc.
connaître, *to know* (= to be acquainted with)	je connais tu connais il connaît	nous connaissons vous connaissez ils connaissent	j'ai connu tu as connu etc.
croire, *to believe,* *to think*	je crois tu crois il croit	nous croyons vous croyez ils croient	j'ai cru tu as cru etc.
devoir, *to owe;* *to have to*	je dois tu dois il doit	nous devons vous devez ils doivent	j'ai dû tu as dû etc.
dire, *to say*	je dis tu dis il dit	nous disons vous dites ils disent	j'ai dit tu as dit etc.
dormir *to sleep*	je dors tu dors il dort	nous dormons vous dormez ils dorment	j'ai dormi tu as dormi etc.

IRREGULAR VERBS

INFINITIVE	PRESENT TENSE		PERFECT TENSE
écrire, *to write*	j'écris tu écris il écrit	nous écrivons vous écrivez ils écrivent	j'ai écrit tu as écrit etc.
faire, *to do,* *to make*	je fais tu fais il fait	nous faisons vous faites ils font	j'ai fait tu as fait etc.
lire, *to read*	je lis tu lis il lit	nous lisons vous lisez ils lisent	j'ai lu tu as lu etc.
mettre, *to put*	je mets tu mets il met	nous mettons vous mettez ils mettent	j'ai mis tu as mis etc.
ouvrir, *to open*	j'ouvre tu ouvres il ouvre	nous ouvrons vous ouvrez ils ouvrent	j'ai ouvert tu as ouvert etc.
partir, *to depart*	je pars tu pars il part	nous partons vous partez ils partent	je suis parti(e) tu es parti(e) etc.
pouvoir, *to be able*	{ je peux { je puis tu peux il peut	nous pouvons vous pouvez ils peuvent	j'ai pu tu as pu etc.
prendre, *to take*	je prends tu prends il prend	nous prenons vous prenez ils prennent	j'ai pris tu as pris etc.
savoir, *to know*	je sais tu sais il sait	nous savons vous savez ils savent	j'ai su tu as su etc.
sortir, *to go (come)* *out*	je sors tu sors il sort	nous sortons vous sortez ils sortent	je suis sorti(e) tu es sorti(e) etc.
tenir, *to hold*	je tiens tu tiens il tient	nous tenons vous tenez ils tiennent	j'ai tenu tu as tenu etc.
venir, *to come*	je viens tu viens il vient	nous venons vous venez ils viennent	je suis venu(e) tu es venu(e) etc.

voir, *to see*	je vois tu vois il voit	nous voyons vous voyez ils voient	j'ai vu tu as vu etc.
vouloir, *to wish*	je veux tu veux il veut	nous voulons vous voulez ils veulent	j'ai voulu tu as voulu etc.

The Reflexive Verb

Example: **se cacher,** *to hide oneself*

PRESENT TENSE	PERFECT TENSE
je me cache	je me suis caché(e)
tu te caches	tu t'es caché(e)
il se cache	il s'est caché
nous nous cachons	elle s'est cachée
vous vous cachez	nous nous sommes caché(e)s
ils se cachent	vous vous êtes caché(e)(s)
	ils se sont cachés
	elles se sont cachées

IMPERATIVE	IMPERATIVE NEGATIVE
cache-toi	ne te cache pas
cachons-nous	ne nous cachons pas
cachez-vous	ne vous cachez pas

Verbs conjugated in the Perfect with *être*

	PERFECT TENSE
aller, *to go*	je suis allé(e)
{ **venir,** *to come*	{ je suis venu(e)
{ **revenir,** *to come back*	{ je suis revenu(e)
retourner, *to go back*	je suis retourné(e)
arriver, *to arrive*	je suis arrivé(e)
partir, *to depart*	je suis parti(e)
sortir, *to go (come) out*	je suis sorti(e)
{ **entrer,** *to enter*	{ je suis entré(e)
{ **rentrer,** *to go (come) home*	{ je suis rentré(e)
rester, *to stay, remain*	je suis resté(e)
descendre, *to descend*	je suis descendu(e)
monter, *to go (come) up*	je suis monté(e)
tomber, *to fall*	je suis tombé(e)

N.B. Remember also that all Reflexive verbs are conjugated with *être*:
je me suis caché, il s'est assis, nous nous sommes levés, etc.

NUMBERS 1–100

1	un, une	30	trente
2	deux	31	trente et un
3	trois	32	trente-deux
4	quatre	40	quarante
5	cinq	41	quarante et un
6	six	42	quarante-deux
7	sept	50	cinquante
8	huit	51	cinquante et un
9	neuf	52	cinquante-deux
10	dix	60	soixante
11	onze	61	soixante et un
12	douze	62	soixante-deux
13	treize	70	soixante-dix
14	quatorze	71	soixante et onze
15	quinze	72	soixante-douze
16	seize	80	quatre-vingts
17	dix-sept	81	quatre-vingt-un
18	dix-huit	82	quatre-vingt-deux
19	dix-neuf	83	quatre-vingt-trois
20	vingt	90	quatre-vingt-dix
21	vingt et un	91	quatre-vingt-onze
22	vingt-deux	100	cent

ORDINALS

1st	premier	11th	onzième
	f. première	12th	douzième
2nd	{ second(e)	13th	treizième
	{ deuxième	14th	quatorzième
3rd	troisième	15th	quinzième
4th	quatrième	16th	seizième
5th	cinquième	17th	dix-septième
6th	sixième	18th	dix-huitième
7th	septième	19th	dix-neuvième
8th	huitième	20th	vingtième
9th	neuvième	21st	vingt et unième
10th	dixième	22nd	vingt-deuxième
			etc.

REFERENCE LIST OF OTHER
GRAMMATICAL POINTS

VOCABULARY

FRENCH – ENGLISH

Abbreviations

adj., adjective
adv., adverb
conj., conjugated
f., feminine
fam., familiar
m., masculine

past part., past participle
perf., perfect
pl., plural
prep., preposition
pron., pronoun

A

à, at, to.
aboyer, to bark.
accepter, to accept.
acheter, to buy.
une actrice, actress.
l'âge (*m.*), age; **quel âge avez-vous?** how old are you?
un agneau (*pl.* -eaux), lamb.
agréable, agreeable, pleasant.
aider, to help.
aimable, kind, nice, pleasant.
aimer, to like, love.
l'air, air, look; **il a l'air content**, he looks pleased.
aller (*irreg.*), to go; *Perf.* **je suis allé; allez!** go on! **allons!** come now! come on!
alors, then; well then.
américain, American.
un ami, friend; **mon ami**, my friend, my dear.
une amie, friend (*girl*, *woman*); **mon amie**, my dear.
amusant, amusing, funny.
amuser, to amuse; **s'amuser**, to amuse oneself, enjoy oneself.
un an, year.

un âne, donkey.
anglais, English; **un Anglais**, an Englishman; **les Anglais**, the English, English people.
l'Angleterre (*f.*), England.
un animal (*pl.* -aux), animal.
une année, year.
août (*m.*), August.
un appareil, camera.
appeler, to call; **s'appeler**, to be called (named); **comment vous appelez-vous?** what is your name?
apporter, to bring.
apprendre (*conj. like* prendre), to learn; *Perf.* **j'ai appris.**
s'approcher, to approach, come up.
après, after(wards).
un après-midi, afternoon.
un arbre, tree.
l'argent (*m.*), money; **l'argent de poche**, pocket money.
(s')arrêter, to stop.
arriver, to arrive; to happen; *Perf.* **je suis arrivé.**
s'asseoir (*irreg.*), to sit down; *Perf.* **je me suis assis; asseyez-vous!** sit down!
assez, enough; fairly.

une assiette, plate.

> **assis,** seated, sitting; **il est assis,** he is seated (sitting).
> **attendre** (*conj. like* vendre), to await, wait for; *Perf.* **j'ai attendu.**
> **l'attention** (*f.*), attention; **faire attention,** to pay attention, to attend.
> **attraper,** to catch.
> **aujourd'hui,** today.
> **aussi,** too, also; **aussi joli que,** as pretty as.

une auto(mobile), motor-car.

un autobus, 'bus.

> **l'automne** (*m.*), autumn.
> **autre,** other.
> **avant,** before.
> **avec,** with.

une aventure, adventure.

> **avoir** (*irreg.*), to have; *Perf.* **j'ai eu.**
> **avril** (*m.*), April.

B

le bain, bath; **la salle de bains,** bathroom.

la balle, ball.

la banane, banana.

le banc, bench, seat.

le bas (*pl.* **les bas**), stocking.

> **bavarder,** to chat, gossip.
> **beau,** *f.* **belle,** beautiful, fine, handsome.
> **beaucoup,** (very) much, many, a lot, plenty.

le bec, beak.

> **belle** (*f. of* beau), beautiful, fine, handsome.

le béret, beret.

le besoin, need; **j'ai besoin de,** I have need of, I need.

le beurre, butter.

la bicyclette, bicycle; **monter à bicyclette,** to ride a bicycle.

> **bien,** well; very; **bien!** good! very well! **c'est bien!** that's good! that's right! **eh bien,** well.
> **bientôt,** soon.

le billet, ticket.

> **blanc,** *f.* **blanche,** white.
> **bleu** (*pl.* **bleus**), blue.

le bœuf, ox, bullock; **du bœuf,** some beef.

> **boire** (*irreg.*), to drink; *Perf.* **j'ai bu.**

le bois (*pl.* **les bois**), wood.

la boîte, box; tin.

> **bon,** *f.* **bonne,** good; right.

le bonbon, sweet, candy.

> **bonjour,** good day (morning, afternoon).

la bonne, (house-)maid.

au bord de, on the edge (side, bank) of.

la bouche, mouth.

le boucher, butcher.

> **bouger,** to move, shift.

le boulanger, baker.

le boulevard, boulevard, avenue.

le bouquet, bunch (of flowers).

la bouteille, bottle.

la boutique, (*small*) shop.

le bras (*pl.* **les bras**), arm.

> **briller,** to shine.

le bruit, sound, noise.

C

> **cacher,** to hide, conceal; **se cacher,** to hide oneself.

le cadeau (*pl.* **-eaux**), present, gift.

le café, coffee; café.

la cage, cage.

le **cahier**, exercise book.

calculer, to calculate, reckon.

la **campagne**, country(-side); **à la campagne**, in (to) the country.

le **Canada**, Canada.

le **canard**, duck.

le **canif**, penknife.

le **car**, motor coach, (*long distance*) 'bus.

la **carotte**, carrot.

la **carte**, card; map.

causer, to chat, converse.

certain, certain; **certainement**, certainly.

la **chaise**, chair.

la **chambre**, (bed-)room.

la **chance**, luck; **vous avez de la chance**, you are lucky.

le **chapeau** (*pl.* **-eaux**), hat.

chaque, each.

le **chat**, cat.

chaud, warm, hot.

la **chaussette**, sock.

les **chaussures** (*f.*), shoes, footwear; **le magasin de chaussures**, shoe shop.

cher, *f.* **chère**, dear.

chercher, to seek, to look for, to get.

le **cheval** (*pl.* **-aux**), horse.

les **cheveux** (*m.*), hair.

chez, at (to) the house of.

le **chien**, dog.

le **chocolat**, chocolate.

choisir (*conj. like* finir), to choose; *Perf.* **j'ai choisi.**

la **chose**, thing.

le **cinéma**, cinema.

la **classe**, class; lessons; **la salle de classe**, classroom.

la **clef**, key.

le **client**, *f.* la **cliente**, customer; (doctor's) patient.

le **cochon**, pig.

le **coin**, corner.

combien, how much, how many; **combien de temps**, how long.

comme, as, like; **comme d'habitude**, as usual.

commencer, to begin.

comment, how; **comment allez-vous?** how are you? **comment est-il?** what is he like? **comment vous appelez-vous?** what is your name? **comment!** what!

le **compartiment**, compartment.

complet, complete; full.

le **complet**, suit.

comprendre (*conj. like* prendre), to understand; *Perf.* **j'ai compris; compris?** understood? get that?

compter, to count.

connaître (*irreg.*), to know.

content, glad, pleased.

continuer, to continue, go on.

le **contraire**, the contrary, opposite.

le **contrôleur**, ticket inspector.

la **conversation**, conversation.

le **costume**, suit.

se **coucher**, to lie down, to go to bed; *Perf.* **je me suis couché.**

couler, to flow.

la **couleur**, colour.

le **coup**, stroke, blow; **le coup de pied**, kick; **tout à coup**, suddenly.

la **cour**, yard; playground.

le **cousin**, cousin.

le **couteau** (*pl.* **-eaux**), knife.

coûter, to cost.

la **craie**, chalk.

la cravate, tie.

le crayon, pencil.

crier, to cry (out), to call out, to shout

croire (*irreg.*), to think, believe; *Perf.* j'ai cru.

cueillir (*irreg.*), to gather, pick.

la cuiller, spoon.

la cuisine, kitchen.

la culotte, (*short*), trousers.

le curé, parish priest.

D

d'abord, at first, first of all.

la dame, lady.

dans, in, into.

de, of, from.

décrire (*conj. like* écrire), to describe.

déjà, already.

déjeuner, to (have) lunch; to have breakfast; **le déjeuner,** lunch.

demander, to ask (for).

une demi-heure, half an hour.

se dépêcher, to hurry (up).

dépenser, to spend.

dernier (*f.* -ière), last.

derrière, behind.

descendre (*conj. like* vendre), to descend; to go (come, get) down; *Perf.* je suis descendu.

désirer, to desire, want.

le désordre, disorder.

devant, before, in front of.

devoir (*irreg.*), to owe; to have to; **je dois (faire),** I must (do), I have to (do); *Perf.* j'ai dû.

les devoirs (*m*), homework, prep.

Dieu, God; **mon Dieu!** gracious me! good heavens!

la difficulté, difficulty.

la digestion, digestion.

dimanche (*m.*), Sunday.

dîner, to dine, have dinner; **le dîner,** dinner.

dire (*irreg.*), to say, tell; *Perf.* j'ai dit.

le directeur, director, manager; (*school*) headmaster.

distribuer, to distribute; to deliver (*letters*).

le docteur, doctor.

le doigt, finger.

je dois (faire), I must (do).

donc, so, therefore; then; **dites (dis) donc!** I say!

donner, to give.

dormir (*irreg.*), to sleep; **il dort,** he sleeps.

le dos, back.

la douleur, pain.

la douzaine, dozen.

droit, right; **à droite,** to (on) the right.

durer, to last.

E

l'eau (*f.*), water.

une école, school.

écouter, to listen (to).

écrire (*irreg.*) to write; *Perf.* j'ai écrit.

une église, church.

un(e) élève, pupil, boy or girl (*in school*).

une emplette, purchase; **faire des emplettes,** to do some shopping.

un employé, clerk; porter.

emporter, to carry away (off).

en (*prep.*), in; **en** (*pron.*), of it, of them, some, any.

encore, yet; again.

s'endormir (*conj. like* dormir), to go to sleep; *Perf.* **je me suis endormi.**

en face, opposite.

un(e) enfant, child.

enfin, at last, finally.

ennuyer, to bore; to worry, bother.

ensemble, together.

ensuite, then, afterwards.

entendre (*conj. like* vendre), to hear; *Perf.* **j'ai entendu.**

entre, between.

entrer, to enter, to go (come) in; *Perf.* **je suis entré.**

envoyer, to send.

une épicerie, grocer's shop, grocery store.

un épicier, grocer.

une erreur, mistake.

un escalier, staircase, stairs.

espérer, to hope.

essayer, to try.

et, and.

l'été (*m.*), summer.

être (*irreg.*) to be; *Perf.* **j'ai été.**

évidemment, evidently, obviously.

exactement, exactly.

examiner, to examine, inspect.

excepté, except.

s'excuser, to excuse oneself, to apologize.

un exemple, example; **par exemple**, for example.

F

en face, opposite.

le facteur, postman.

la faim, hunger; **j'ai faim**, I am hungry.

faire (*irreg.*), to make, to do; *Perf.* **j'ai fait.**

la famille, family.

fatigant, tiring, fatiguing.

fatigué, tired.

le fauteuil, armchair.

le faux-col, collar.

la femme, woman; wife.

la fenêtre, window.

la ferme, farm.

fermer, to close, shut.

le fermier, farmer.

février (*m.*), February.

la fille, daughter; **la (jeune) fille**, girl.

le film, film, picture.

le fils (*pl.* **les fils**), son.

finir, to finish; **fini**, finished; *Perf.* **j'ai fini.**

la fleur, flower.

la fois, time (*as in* 3 times).

fort (*adv.*), very.

la fourchette, fork.

le franc, franc.

français, French; **le français**, French (*language*).

la France, France.

frapper, to strike, hit, knock.

le frère, brother.

froid, cold.

le fromage, cheese.

le front, forehead.

le fruit, fruit.

furieux, furious.

G

le garage, garage.

le garçon, boy; waiter.

garder, to keep.

la gare, station.

gauche, left; **à gauche**, to (on) the left.

généralement, generally.

les gens (*m.*), people, folk.

le gilet, waistcoat.

glisser, to slip.

grand, large, big; tall.

grandir (*conj. like* finir), to grow (up).

la grand'mère, grandmother.

le grand-père, grandfather.

grave, serious.

grimper, to climb.

gros, *f.* **grosse,** big; stout.

H

s'habiller, to dress (oneself); *Perf.* **je me suis habillé.**

habiter, to live (in).

les habits (*m.*), clothes.

une habitude, habit; **comme d'habitude,** as usual.

la haie, hedge.

le haricot, bean.

haut, high.

hein? eh?

une heure, hour; **de bonne heure,** early.

heureux, *f.* **heureuse,** happy.

hier, yesterday; **hier soir,** yesterday evening, last night.

une histoire, story.

l'hiver (*m.*), winter.

un homme, man.

un hôtel, hotel.

l'humeur (*f.*), humour; **de bonne humeur,** in a good humour, good-tempered.

I

ici, here.

une île, island.

un imperméable, raincoat, "mac".

un instant, instant, moment.

intelligent, intelligent, clever.

intéressant, interesting.

J

jamais, never.

la jambe, leg.

janvier (*m.*), January.

le jardin, garden.

le jardinier, gardener.

jaune, yellow.

jeter, to throw.

jeudi (*m.*), Thursday.

jeune, young.

joli, pretty, nice.

jouer, to play.

le jour, day.

le journal (*pl.* -aux), newspaper.

la journée, day.

juillet (*m.*), July.

juin (*m.*), June.

K

le kilo(gramme), kilogram (= 2·2 lbs.).

le kilomètre, kilometre (= $\frac{5}{8}$ of a mile).

L

là, there.

laisser, to let, allow; to leave.

le lait, milk.

laver, to wash; **se laver,** to wash (oneself).

la leçon, lesson.

la lecture, reading.

le légume, vegetable.

lentement, slowly.

la lettre, letter.

 lever, to raise; **se lever,** to rise, to get (stand) up; *Perf.* **je me suis levé.**

 lire (*irreg.*), to read; *Perf.* **j'ai lu.**

le lit, bed.

le litre, litre.

le livre, book.

la livre, pound (½ kilogram = 1.1 English pounds).

 loin, far (away).

 Londres, London.

 long, *f.* **longue,** long.

 longtemps, long (*adv.*).

 lorsque, when.

 lu, read (*past part.* of **lire**).

 lundi (*m.*), Monday.

les lunettes (*f.*), glasses, spectacles.

M

mademoiselle, Miss.

le magasin, shop, store; **le magasin de chaussures,** shoe shop.

 magnifique, magnificent.

 mai (*m.*), May.

la main, hand; **à la main,** in one's (my, his, etc.), hand.

 maintenant, now.

 mais, but.

la maison, house, home; **à la maison,** at home.

le maître, master.

 malade, ill, sick; **le (la) malade,** sick person, patient.

 malheureux (*f.* **-euse**), unhappy, miserable; **malheureusement,** unhappily, unfortunately.

(la) maman, Mother (*fam.*), Mummy.

 manger, to eat.

le marchand, merchant, shopkeeper; **le marchand de légumes,** greengrocer.

 marcher, to walk.

 mardi (*m.*), Tuesday

le mari, husband.

 mars (*m.*), March.

le matin, morning.

 mauvais, bad.

le médecin, doctor.

 meilleur (*adj.*), better; **le meilleur,** best.

 même (*adj.*), same; **même** (*adv.*), even.

le ménage, household; housework.

le menu, menu.

 merci, thanks, thank you; **merci beaucoup,** thank you very much.

 mercredi (*m.*), Wednesday.

la mère, mother.

le merle, blackbird.

 messieurs (*pl.* of **monsieur**), gentlemen.

 mettre (*irreg.*) to put; to put on; *Perf.* **j'ai mis.**

 mieux (*adv.*), better.

au milieu de, in the middle of.

 mille, (a) thousand.

la minute, minute.

 moins, less; **moins joli que,** less pretty than, not so pretty as.

le mois (*pl.* **les mois**), month.

le moment, moment; **en ce moment,** at present, at the moment.

le monde, world; **beaucoup de monde,** a lot of people; **tout le monde,** everybody.

monsieur, sir; Mr.; **le monsieur** (*pl.* **les messieurs**), gentleman.

la montagne, mountain.

monter, to mount; to go (come) up; to get in (*a vehicle*); *Perf.* **je suis monté.**

la montre, watch.

montrer, to show.

le morceau (*pl.* **-eaux**), bit, piece.

le mot, word.

le mouchoir, handkerchief.

le mouton, sheep.

le mur, wall.

N

naturellement, naturally.

il neige, it snows, it is snowing.

neuf, *f.* **neuve,** new.

le nid, nest.

noir, black.

le nom, name.

la note, note; bill; mark.

nourrir (*conj. like* finir), to feed.

la nourriture, food.

nouveau, *f.* **nouvelle,** new, fresh.

la nuit, night.

O

un œil (*pl.* **des yeux**), eye.

un œuf, egg.

un oiseau (*pl.* **-eaux**), bird.

un oncle, uncle.

une oreille, ear.

ou, or.

où, where.

oublier, to forget.

ouvrir (*irreg.*), to open; *Perf.* **j'ai ouvert.**

P

la page, page.

le pain, bread.

la paire, pair.

le pantalon, trousers.

(le) papa, Father, Dad.

le paquet, packet, parcel.

par, by, through.

parce que, because.

le pardessus, overcoat.

pardon? (I beg your) pardon? **Je vous demande pardon,** I beg your pardon.

les parents (*m.*), parents.

paresseux (*f.* **-euse**), lazy.

parler, to speak, talk.

partir (*irreg.*), to depart; *Perf.* **je suis parti.**

partout, everywhere.

le pas, pace, step; **le pas de la porte,** doorstep.

passer, to pass, go by.

le patron, proprietor, boss.

pauvre, poor.

payer, to pay (for).

le pays (*pl.* **les pays**), country.

la pêche, fishing; **aller à la pêche,** to go fishing.

pendant, during, for.

la pendule, clock.

penser, to think.

perdre (*conj. like* vendre), to lose; to waste; *Perf.* **j'ai perdu.**

le père, father.

personne + ne, nobody.

persuadé, persuaded.

petit, little, small; **le petit,** little one; boy; **mon petit,** my boy.

la petite-fille, granddaughter.

un peu (de), a little (of).

la peur, fear; **j'ai peur,** I am afraid.

peut-être, perhaps.

je peux (faire), I can (do).

la photographie, photograph.

le pied, foot; **le coup de pied,** kick.

la place, square (*in town*); seat; room.

placer, to place.

le plafond, ceiling.

plaît; s'il vous plaît, (if you) please.

le plancher, floor.

plein, full.

il pleut, it rains, it is raining.

plus, more; **plus grand que,** larger than; **ne … plus,** no longer, no more.

plusieurs, several.

la poche, pocket.

la poire, pear.

le poisson, fish.

poli, polite.

la pomme, apple.

la pomme de terre (*pl.* **les pommes de terre),** potato.

le pont, bridge.

le porc, pig; pork.

la porte, door; **le pas de la porte,** doorstep.

le portefeuille, wallet.

porter, to carry.

poser, to place, to put (down); **poser une question,** to ask a question.

le potage, soup.

la poule, hen.

pour, for; **pour écrire,** (in order) to write.

pourquoi, why.

pouvoir (*irreg.*), to be able; **nous pouvons (faire),** we can (do); *Perf.* **j'ai pu.**

la prairie, meadow.

premier (*f.* **-ière**), first.

prendre (*irreg.*), to take; *Perf.* **j'ai pris.**

préparer, to prepare.

près de, near (to); **tout près (de),** quite near (to), close by.

presque, almost, nearly.

prêt, ready.

prêter, to lend.

le printemps, Spring.

le prix, price.

probablement, probably.

le professeur, teacher, master.

la promenade, walk, trip; **faire une promenade,** to go for a walk, go on a trip; **bonne promenade!** have a nice trip!

se promener, to go for a walk; to be out for a walk (a trip); *Perf.* **je me suis promené.**

puis, then, next.

puis-je? can I? may I?

le pupitre, desk.

Q

le quai, quay; riverside street, embankment.

quand, when.

un quart d'heure, quarter of an hour.

quelque, some; **quelques,** some, a few.

quelquefois, sometimes.

qu'est-ce que c'est? what is it (this)?

qu'est-ce qu'il y a? *or* **qu'y a-t-il?** what is there? *or* what is the matter?

quitter, to leave.

R

raconter, to relate, tell.

le **raisin,** grapes.

ramasser, to pick up.

rapidement, rapidly, quickly.

rappeler, to recall, call back.

le **récepteur,** receiver.

le **receveur,** conductor.

se **recoucher,** to go back to bed.

regarder, to look (at).

la **règle,** rule, ruler.

relisez, re-read.

remettre (*conj. like* mettre), to put back.

remplir (*conj. like* finir), to fill; *Perf.* **j'ai rempli.**

rencontrer, to meet.

rendre (*conj. like* vendre), to render; to give back, to return.

rentrer, to go (come) home; *Perf.* **je suis rentré.**

le **repas** (*pl.* les repas), meal.

répéter, to repeat.

répondre (*conj. like* vendre), to reply, answer; *Perf.* **j'ai répondu.**

la **réponse,** reply, answer.

se **reposer,** to rest (oneself).

le **restaurant,** restaurant.

le **reste,** rest.

rester, to remain, stay; *Perf.* **je suis resté.**

retirer, to withdraw, take out.

retourner, to return, go back.

retrouver, to find (again).

réveiller, to rouse, waken; se **réveiller,** to wake up, awake; *Perf.* **je me suis réveillé.**

revenir (*conj. like* venir), to come back; *Perf.* **je suis revenu.**

au revoir, good-bye.

riche, rich, wealthy.

le **rideau** (*pl.* -eaux), curtain.

rien+**ne,** nothing; **il n'a rien,** there is nothing the matter with him.

la **rivière,** river, stream.

la **robe,** dress, frock.

rouge, red.

la **route,** road; **en route,** on the way; **en route!** off they (we, etc.) go!

la **rue,** street.

S

le **sac,** bag.

sage, good, well-behaved.

je **sais,** I know (*verb* savoir).

la **saison,** season.

la **salade,** salad.

sale, dirty, filthy.

la **salle,** room; **la salle à manger,** dining room; **la salle de bains,** bathroom; **la salle de classe,** classroom.

le **salon,** drawing room, lounge.

samedi (*m.*), Saturday.

sans, without.

le **saucisson,** (dinner) sausage.

sauvage, wild.

se **sauver,** to run away, decamp.

savoir (*irreg.*), to know; *Perf.* **j'ai su.**

la **semaine,** week.

sérieux (*f.* -euse), serious, earnest.

la **serveuse,** waitress.

la **serviette,** serviette.

seul, only, alone; **seulement,** only.

sévèrement, severely, sternly.

si (s'), if; **si,** so.
signer, to sign.
la sœur, sister.
la soif, thirst; **j'ai soif,** I am
    thirsty.
le soir, evening.
le soleil, sun.
la sonnerie, bell (*telephone*).
la sorte, sort, kind.
    sortir (*irreg.*), to go (come)
    out; *Perf.* **je suis sorti.**
le soulier, shoe.
    sous, under.
    souvent, often.
    splendide, splendid.
    stupide, stupid.
le stylo, fountain pen.
le sucre, sugar.
le suisse, Swiss guard (*in
    churches*).
    suite; tout de suite, at
    once.
    sur, on; **deux sur dix,** two
    out of ten.
    sûr, sure; **bien sûr!** most
    certainly! to be sure! **sûre-
    ment,** surely.
    surprendre (*conj. like* pren-
    dre), to surprise; *Perf.* **j'ai
    surpris.**

T

la table, table.
le tableau noir, blackboard.
    tant, so much, so many.
la tante, aunt.
la tasse, cup.
le taureau (*pl.* **-eaux**), bull.
le taxi, taxi.
le téléphone, telephone.
    téléphoner, to telephone.
la télévision, television.
le temps, time; weather.
    tenir (*irreg.*), to hold.

la tête, head.
il tient, he holds (*verb* tenir).
    tirer, to pull, draw.
le toit, roof.
    tomber, to fall; *Perf.* **je suis
    tombé.**
la tortue, tortoise.
    toucher, to touch.
    toujours, always; still.
    tout, *pl.* **tous;** *f.* **toute,
    toutes,** all; **tout à coup,**
    suddenly; **tout de suite,**
    at once; **pas du tout,** not
    at all.
le train, train.
le travail, work.
    travailler, to work.
    traverser, to cross.
    très, very.
    troisième, third.
se tromper, to be mistaken;
    Perf. **je me suis trompé.**
    trop, too; too much, too
    many.
    trouver, to find; **se trouver,**
    to be found, to be situated.

V

les vacances (*f.*), holidays.
la vache, cow.
la vaisselle, crocks, dishes.
la valise, suitcase.
le veau (*pl.* **-eaux**), calf; veal.
    vendre, to sell; *Perf.* **j'ai
    vendu.**
    vendredi (*m.*), Friday.
    venir (*irreg.*), to come; *Perf.*
    je suis venu.
la vérité, truth.
le verre, glass.
    vers, towards.
    verser, to pour.
    vert, green.
le veston, jacket.

je veux bien, I am willing; **veux-tu (faire)?** will you (do)?

la viande, meat.

vieille (*f. of* **vieux**), old.

je viens, I come (*verb* venir); **viens!** come!

vieux, *f.* **vieille,** old; **mon vieux,** old chap.

le village, village.

la ville, town, city; **en ville,** to (*or* in) town.

le vin, wine.

la visite, visit.

visiter, to visit.

vite, quick, quickly.

voici, here is, here are.

voilà, there is, there are; **voilà!** there you are!

voir (*irreg.*), to see; *Perf.* **j'ai vu.**

la voiture, car; **en voiture,** by car.

la voix (*pl.* **les voix**), voice.

voler, to steal.

le voleur, thief, robber.

vouloir (*irreg.*), to wish, want; *Perf.* **j'ai voulu; voulez-vous entrer?** will you come in?

le voyage, journey; **en voyage,** on a journey, on their (our, his, etc.) travels.

le voyageur, traveller, passenger.

vrai, true; **vraiment,** truly, really.

Y

y, there.

les yeux (*pl. of* **l'œil**), eyes.

Z

zéro, nought.

ENGLISH – FRENCH

A

about, vers, *e.g.* vers cinq heures.

to **accept,** accepter.

afraid; I am afraid, j'ai peur.

after, après.

afternoon, un après-midi.

all, tout, *pl.* tous; *f.* toute, toutes.

amusing, amusant.

another, un(e) autre.

to **answer,** répondre (*conj. like* vendre).

any more; not ... any more, ne ... plus.

anyone; not ... any one, ne ... personne.

anything; not ... anything, ne ... rien.

apple, la pomme.

to **arrive,** arriver; *Perf.* je suis arrivé.

as (large) as, aussi (grand) que.

to **ask,** demander; **I ask him for the key,** je lui demande la clef.

at, à.

aunt, la tante.

B

bad, mauvais.

bag, le sac.

ball, la balle.

beautiful, beau, *f.* belle.

bed, le lit; **to go to bed,** se coucher.

bedroom, la chambre.

been, été.

to **begin,** commencer.

to **believe,** croire (*irreg.*).

bench, le banc.

best, le meilleur, *f.* la meilleure.

better (*adj.*), meilleur, *f.* meilleure.

between, entre.

bicycle, la bicyclette.

big, grand; gros, *f.* grosse.

bird, un oiseau (*pl.* -eaux).

black, noir.

book, le livre.

to **bore,** ennuyer.

bottle, la bouteille.

box, la boîte.

boy, le garçon.

bread, le pain.

to **bring,** apporter.

brother, le frère.

bull, le taureau.

'bus, un autobus.

but, mais; **nothing but,** ne ... que.

butcher, le boucher.

to **buy,** acheter.

C

café, le café.

cage, la cage.

to **call,** appeler.

I can (do), je peux (faire).

car, une voiture, une auto, une automobile.

cat, le chat.

I caught, j'ai pris.

chair, la chaise.

chalk, la craie.

to **chat,** causer.

223

child, un enfant, *f.* une enfant.

to **choose,** choisir (*conj. like* finir);
Perf. j'ai choisi.

class, la classe.

clock, la pendule.

to **close,** fermer.

cold, froid.

colour, la couleur.

to **come,** venir (*irreg.*); **to come
back,** revenir; *Perf.* je suis
revenu; **to come down,**
descendre (*conj. like* vendre);
Perf. je suis descendu; **to
come home,** rentrer; *Perf.*
je suis rentré; **to come in,**
entrer; *Perf.* je suis entré.

country, le pays.

to **cross,** traverser.

D

daughter, la fille.

day, le jour.

dear, cher, *f.* chère.

dining-room, la salle à manger.

to **do,** faire (*irreg.*).

do you like? aimez-vous?
does he like? aime-t-il? **I
do not like,** je n'aime pas;
do not look! ne regardez
pas!

doctor, le docteur; le médecin.

dog, le chien.

door, la porte.

down; to go (come) down,
descendre (*conj. like* vendre);
Perf. je suis descendu.

dress, la robe.

to **drink,** boire (*irreg.*).

E

early, de bonne heure.

to **eat,** manger.

egg, un œuf.

enough, assez (de); **he is not
tall enough,** il n'est pas
assez grand.

to **enter,** entrer; *Perf.* je suis
entré; **I enter the house,**
j'entre dans la maison.

evening, le soir.

everybody, tout le monde.

every day, tous les jours.

everything, tout.

F

to **fall,** tomber; *Perf.* je suis tombé.

family, la famille.

father, le père; Father (*fam.*),
papa.

a **few,** quelques.

to **fill,** remplir (*conj. like* finir).

to **find,** trouver.

fine, beau, *f.* belle; **it (the
weather) is fine,** il fait
beau.

to **finish,** finir.

first, premier, *f.* première.

fish, le poisson.

flower, la fleur.

for, pour.

franc, le franc.

French, français.

Friday, vendredi.

friend, un ami, *f.* une amie.

frock, la robe.

in **front of,** devant.

G

garage, le garage.

gentleman, le monsieur, *pl.* les
messieurs.

to **get up,** se lever.

girl, la fille, la jeune fille.

to **give,** donner; **to give back,**
rendre (*conj. like* vendre).

glass, le verre.

to go, aller (*irreg.*); *Perf.* je suis allé; **I am going to listen**, je vais écouter; **to go in**(to), entrer; *Perf.* je suis entré; **to go out**, sortir; *Perf.* je suis sorti; **to go up**, monter; *Perf.* je suis monté.
good, bon, *f.* bonne.
grocer, un épicier.

H

handkerchief, le mouchoir.
hat, le chapeau, *pl.* les chapeaux.
headmaster, le directeur.
to hear, entendre (*conj.* *like* vendre); **I heard**, j'ai entendu.
her (*adj.*), son, sa *or* ses (*see p.* 54); **her** (*pron.*), la; **to her**, lui.
here, ici; **here is (are)**, voici.
him, le; **to him**, lui.
his, son, sa *or* ses (*see p.* 54).
at home, à la maison; **at (to) my home**, chez moi; **to go (come) home**, rentrer; *Perf.* je suis rentré.
horse, le cheval (*pl.* -aux).
hot, chaud.
hotel, un hôtel.
house, la maison; **at (to) my house**, chez moi.
how, comment; **how much (many)**, combien; **how are you?** comment allez-vous?
hungry; I am hungry, j'ai faim.
to hurry (up), se dépêcher.

I

if, si.
ill, malade.
in, dans; **in January**, en janvier, au mois de janvier.
intelligent, intelligent.

K

to keep, garder.
key, la clef.
kitchen, la cuisine.
to knock, frapper.
to know, savoir (*irreg.*); **to know** (=to be acquainted with), connaître (*irreg.*).

L

lady, la dame.
large, grand.
to learn, apprendre (*conj.* *like* prendre).
to leave, laisser; **left**, laissé.
less, moins.
let us give, donnons; **let us go**, allons; **do not let us go**, n'allons pas.
letter, la lettre.
to like, aimer.
like; what is their house like? comment est leur maison? **what is the weather like?** quel temps fait-il?
to listen, écouter; **I listen to the teacher**, j'écoute le professeur.
little (*adj.*), petit; **a little** (*quantity*), un peu.
to live, habiter.
long, long, *f.* longue.
longer; no ... longer, ne ... plus.
to look at, regarder, *e.g.* je regarde la pendule; **to look for** (=to seek), chercher.
to lose, perdre (*conj.* *like* vendre); **I have lost**, j'ai perdu.
a lot of, beaucoup de.
lounge, le salon.
to love, aimer.
to lunch, déjeuner.

VOCABULARY

M

man, un homme.

many, beaucoup; **how many,** combien.

map, la carte.

matter; what is the matter? qu'y a-t-il? *or* qu'est-ce qu'il y a?

may I (do)? puis-je (faire)?

me, me; **to me,** me.

meat, la viande.

menu, le menu.

minute, la minute.

money, l'argent (*m.*).

month, le mois, *pl.* les mois.

more, plus.

morning, le matin.

mother, la mère; **Mother** (*fam.*), maman.

mountain, la montagne.

much, beaucoup; **how much,** combien.

I must (give), je dois (donner).

my, mon, ma *or* mes (*see p.* 53).

N

name, le nom; **what is his name?** quel est son nom? comment s'appelle-t-il?

near (to), près de.

to need, avoir besoin de.

never, ne . . . jamais; **never** (*used alone*), jamais.

nice (*person*), aimable; gentil, *f.* gentille.

no, non; **I have no money,** je n'ai pas d'argent.

nobody, personne+ne; **nobody** (*used alone*), personne.

not; I do not like, je n'aime pas.

nothing, ne . . . rien; **nothing** (*used alone*), rien; **nothing but,** ne . . . que.

now, maintenant.

O

October, octobre.

often, souvent.

old, vieux, *f.* vieille; **how old are you?** quel âge ꞌavez-vous?

on, sur; **on Monday,** lundi.

at once, tout de suite.

only, seulement; ne . . . que.

to open, ouvrir (*irreg.*).

other, autre.

our, notre, *pl.* nos.

out; to go (come) out, sortir; *Perf.* je suis sorti.

P

parents, les parents (*m.*).

to pay, payer.

pear, la poire.

people, les gens (*m.*).

perhaps, peut-être.

piece, le morceau (*pl.* -eaux).

to play, jouer.

playground, la cour.

please, s'il vous plaît.

plenty, beaucoup.

pocket, la poche.

postman, le facteur.

potato, la pomme de terre, *pl.* les pommes de terre.

present, le cadeau (*pl.* -eaux).

pretty, joli.

pupil, un élève, *f.* une élève.

to put a question, poser une question.

Q

question, la question.

R

it rains, it is raining, il pleut.
to read, lire (*irreg.*).
red, rouge.
to repeat, répéter.
to rest, se reposer.
restaurant, le restaurant.
river, la rivière.
road (*in town*), la rue; (*in country*) la route.
room, la salle; (=*bedroom*) la chambre.

S

salad, la salade.
same, même.
to say, dire (*irreg.*); I (have) said, j'ai dit.
school, une école; at school, à l'école.
to see, voir (*irreg.*); seen, vu.
to send, envoyer.
September, septembre.
several, plusieurs (*m. and f.*).
shoe, le soulier.
shop (*large*), le magasin; (*small*) la boutique.
to show, montrer.
side; at the side of, au bord de.
sir, monsieur.
sister, la sœur.
to sit down, s'asseoir (*irreg.*); *Perf.* je me suis assis.
sitting, assis; he is sitting, il est assis.
small, petit.
it snows, it is snowing, il neige.
so many (much), tant.

something, quelque chose; some time, quelque temps.
son, le fils, *pl.* les fils.
to speak, parler.
to spend, dépenser.
spring, le printemps; in spring, au printemps.
square (*in town*), la place.
stairs, staircase, un escalier.
to stand up, se lever.
station, la gare.
to stay, rester; *Perf.* je suis resté.
to stop, s'arrêter.
story, une histoire.
street, la rue.
to stroll, se promener.
stupid, stupide.
suit, le costume, le complet.
suitcase, la valise.
summer, l'été (*m.*); in summer, en été.
sweet, le bonbon.

T

table, la table.
teacher, le professeur.
to telephone, téléphoner.
television, la télévision.
to tell (=*to relate*), raconter.
thank you, merci.
that (*adj.*), ce(t), *f.* cette.
that (*connecting*), que, *e.g.* je dis que c'est bon.
their, leur, *pl.* leurs.
them, les; to them, leur.
there, là; there is the car! voilà la voiture!
these, ces.
thing, la chose.
to think, croire (*irreg.*), penser.
thirsty; I am thirsty, j'ai soif.
this (*adj.*), ce(t), *f.* cette.
those, ces.
to throw, jeter.

Thursday, jeudi.
ticket, le billet.
tie, la cravate.
time, le temps; (*by the clock*) l'heure; **what is the time?** quelle heure est-il?
tired, fatigué.
to, à.
today, aujourd'hui.
too much (**many**), trop.
tortoise, la tortue.
to touch, toucher.
towards, vers.
town, la ville; **to town,** en ville.
train, le train.
true, vrai.

U

uncle, l'oncle.
to understand, comprendre (*conj. like* prendre); **understood,** compris.
up; **to go (come) up,** monter; *Perf.* je suis monté.
us, nous; **to us,** nous.

V

vegetable, le légume.
very, très; bien.
voice, la voix, *pl.* les voix.

W

to wait (**for**), attendre (*conj. like* vendre), *e.g.* j'attends mon ami.
waiter, le garçon.
to wake up, se réveiller; *Perf.* je me suis réveillé.
to walk, marcher; **to go for a walk,** se promener.
wallet, le portefeuille.

to want, vouloir (*irreg.*).
warm, chaud; **it (the weather) is warm,** il fait chaud.
to watch, regarder.
watch, la montre.
water, l'eau (*f.*).
to wear, porter.
weather, le temps; **what is the weather like?** quel temps fait-il?
Wednesday, mercredi.
week, la semaine.
well, bien.
what is it? qu'est-ce que c'est?
when, quand.
where, où.
whole, tout, *f.* toute, *e.g.* toute la famille.
whose hat is this? à qui est ce chapeau?
wife, la femme.
will you (**do**), voulez-vous (faire).
window, la fenêtre.
wine, le vin.
winter, l'hiver (*m.*); **in winter,** en hiver.
to wish, vouloir (*irreg.*).
with, avec.
woman, la femme.
work, le travail.
to work, travailler; **I am working,** je travaille.
to write, écrire (*irreg.*); **I wrote, I have written,** j'ai écrit.

Y

yes, oui; si (*in answer to a negative question*).
yesterday, hier.
yet, encore.
young, jeune.